De vuelta a la Ciudad

SAN JUAN DE PUERTO RICO 1997-2001

De vuelta a la Ciudad

SAN JUAN DE PUERTO RICO 1997-2001

Silvia Álvarez Curbelo • Aníbal Sepúlveda Rivera

Primera edición, 2011

ISBN 0-9820806-0-3

Diseño Editorial: Mara A. Robledo

Portada: Fundación Sila M. Calderón
Lunas de San Juan escultura de Heriberto Nieves en la Plaza Torre del Municipio de San Juan, Hato Rey

Impreso en China

Fundación Sila M. Calderón
Urb. Santa Rita | 1012 Calle González | San Juan, Puerto Rico 00925

F.
I.
F
Y

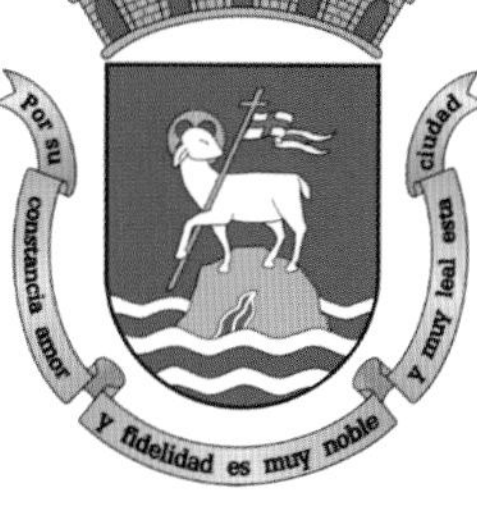
Por su
constancia amor
y fidelidad es muy noble
y muy leal esta
ciudad

San Juan de Puerto Rico y la Ciudad de Panamá son hermanas en la historia; ambas ciudades tienen la bendición de contar con distritos históricos de gran belleza. Se unen también en el entendimiento de que las ciudades son sedes de futuro. Repasando las páginas de este libro, podemos constatar que muchos de los desafíos que han vivido ambas ciudades son similares. De la misma manera, los retos que el siglo 21 propone remiten a anhelos comunes: convertirlas en lugares de civilización, de orden, de progreso.

De la gestión de la Alcaldesa Calderón en la ciudad de San Juan me impresiona su entendimiento del proceso de globalización y cómo se tradujo en convertir a San Juan en una ciudad más abierta al mundo. Como ciudades portuarias y centros de comercio, tanto San Juan como Panamá, han requerido de visiones de gobierno que superen los localismos estrechos. Pero, como igualmente nos demuestra la alcaldesa puertorriqueña, hay que gobernar con la razón y la equidad y además con el corazón cercano a los ciudadanos.

Como alcalde de la Ciudad de Panamá aprecio un libro como éste que invita a la reflexión sobre las responsabilidades que administrar una ciudad en estos tiempos globales comporta.

Juan Carlos Navarro,

Alcalde de Ciudad de Panamá, [1999 – 2008]

Julio, 2008

I met Governor Calderón in 1985 while she was chief of staff to former governor Rafael Hernández Colón and I was mayor of New York. We were introduced by a mutual friend and her classmate at Manhattanville College, Diane Coffey, who was then my chief of staff. Sila was my guest for dinner at Gracie Mansion and a few years later during a trip to Puerto Rico, I attended a delightful dinner at her home in San Patricio along with the legendary doña Felisa Rincón.

During my twelve years as Mayor, I was fortunate to enjoy the support of the Puerto Rican community in New York. Puerto Ricans have been an inherent part of this city's tapestry with their cultural pride and vibrancy. When I learned of Sila's aspirations to become mayor of San Juan, I was confident that she would bring into the city's administration those values and commitments that characterize the best of Puerto Rico's spirit.

Sila and I continue to share a passion for public service and similar visions of leadership and administration. Over the years we frequently discussed the efficient delivery of services to our constituents while at the time providing them with economic and job opportunities as well as a spirit of optimism. Governing the City of New York was both a challenge and a gift for which I have been forever grateful. The chronicle of Sila's mayoralty demonstrates that this is also the case with my friend.

Edward "Ed" Koch,

Mayor of New York , [1977 – 1989]

July, 2008

San Juan de Puerto Rico
CIUDAD: MEMORIA Y COMENTARIO

¿Por qué pensar, por qué hablar de la ciudad?

Porque nos entusiasman sus posibilidades aunque nos duelan sus agobios; porque pensamos que, a pesar de lo enmarañada e indócil que puede ser, es también lugar de creatividad, de energías y de potencialidades que aguardan realización. Las ciudades acogen múltiples itinerarios de vida y de trabajo. En ocasiones, inhiben las mejores voluntades y alientan comportamientos de incivilidad pero, en muchas otras, motivan las artes y la generosidad ciudadana; son lugares nobles de trabajo y de honesta alegría.

Es siempre el interés por el presente y el futuro el que convida a revisitar el pasado, algunos tan próximos como el período que este texto cubre. Las diferencias en enfoques y perspectivas que presentan la gobernabilidad municipal nos empujan a pensar en la ciudad en que discurre la mayor parte de nuestras vidas.

Al finalizar el siglo 20 se planteó en San Juan de Puerto Rico un modelo de ciudad más atenida a criterios de buena civilización urbana. La gestión municipal que transcurre de 1997 a 2001 ensayó formas de administración y prácticas de gobierno que representaron una impostergable *vuelta a la ciudad*. Algunas de las políticas urbanas intentadas entonces no tuvieron tiempo de echar raíces. Otras lograron, a pesar del corto tiempo, producir modificaciones importantes en la manera cómo concebimos, organizamos y cuidamos a San Juan. Este texto es un recorrido por esa gestión que exhibió limitaciones, ingenuidades e imprevistos pero también arrojo, sentido de los tiempos, eficiencia y gusto por las formas y prácticas de hacer ciudad.

a
b
C
d
E
F
f
G
H
h
i
J
K
L
M
N
O
P
Q
R
S
T
V
X
Y

La investigación nos llevó a examinar cientos de informes, estadísticas, ordenanzas. Entrevistamos funcionarios y líderes comunitarios; artistas y académicos. Pero también recorrimos a San Juan –literal e imaginariamente– en busca de los significados que toda ciudad encierra. Las ciudades, debemos recordarlo, no son un país en miniatura. Existen antes que cualquier país y por ello contienen claves profundas de cómo nos llevamos los unos con los otros y cómo puede combinarse el orden con la libertad, la solidaridad con la individualidad.

No es éste un examen exhaustivo del período ni una crónica histórica, es más bien una memoria y un comentario. Una memoria que da cuenta de cómo, en un particular momento, se generó un esfuerzo de reordenamiento citadino en una ciudad a punto de cumplir su quinta centuria. Identifica los proyectos principales de ciudad, los retos y las coyunturas de crisis, así como las respuestas de las mujeres y hombres que asumieron esa gestión. La memoria también intenta comprender a los sanjuaneros que despedían un siglo y entraban a otro con equipajes mixtos de esperanzas e incertidumbres. Es, por otro lado, un comentario crítico sobre la ciudad que se vislumbró como posible y a la que se regresaba en el convencimiento de que un San Juan amable y cívico, aun con las inevitables fragmentaciones que constituyen lo urbano, era deseable y realizable. De ahí que sea también una invitación a seguir pensando y trabajando por esa ciudad posible.

Nuestro agradecimiento a la Fundación Sila M. Calderón, por habernos apoyado en la investigación de este meritorio proyecto de ciudad. En particular, a la alcaldesa de San Juan durante ese período, Sila M. Calderón, cuya inteligencia y sensibilidad de lo urbano movilizó logros importantes. Doralis Pérez Soto, estudiante graduada de la Escuela de Comunicación, fue nuestra asistente de investigación y Mara Robledo, la diligente diseñadora del libro. A ellas y al personal de apoyo de la Fundación Sila M. Calderón nuestras gracias más cumplidas.

Silvia Álvarez Curbelo
Aníbal Sepúlveda Rivera

En San Juan de Puerto Rico, enero 2010

Capítulo 1

MEMORIA DE UNA GESTIÓN MUNICIPAL

San Juan en el entresiglos

Sellos de las antiguas alcaldías que componen el Municipio de San Juan hoy día. Archivo General de Puerto Rico, San Juan

Las gestiones municipales actúan sobre la geografía social y económica de las ciudades y su resultado es un paisaje construido y humano que se decanta en el tiempo. La capital de Puerto Rico cumple 500 años. En 1508, se establece su primera localización al sur de la bahía. A lo largo de estos cinco siglos, San Juan Bautista de Puerto Rico ha tenido más de 350 administradores, regidores o alcaldes cuyos títulos, obligaciones y responsabilidades han estado significados por modos diferentes de conceptualizar la ciudad, manejar el poder y prever el futuro.

El cargo que ahora se conoce como alcalde se ha denominado a través de los siglos con diferentes nombres, como regidores, tenientes a guerra, delegados de gobierno, administradores, entre muchos otros. De muchos alcaldes conocemos solamente sus nombres. De otros se conocen algo mejor sus gestiones. Aunque todos han manejado los asuntos de la ciudad, el ámbito de esa ciudad no siempre ha sido constante. En el siglo 16, con el nombre de Partido de Puerto Rico, la ciudad contenía la mitad de la isla; la otra mitad, delimitada por los ríos Jacaguas en el sur y Camuy en el norte, se denominaba Partido de San Germán.

Eventualmente, la capital, encerrada entre muros, se achica a la vez que surgen otros pueblos y villas. Hasta bien entrado el siglo 19, el territorio de San Juan

Alcaldía, 1880 c.
López Cepero, Archivo General de Puerto Rico

se limitaba a la isleta donde está el recinto murado. No fue hasta el 1862 que el antiguo Partido de Cangrejos se incorporó al de San Juan como uno de sus barrios extramuros con el nombre de Santurce. Pero aún así el territorio municipal de San Juan seguía siendo muy reducido. Es por esa razón que al utilizar el término alcalde antes del siglo 20 nos referimos a funcionarios que administraban un pequeño, aunque significativo territorio de la isla.

A finales del siglo 19, municipios con ciudades como Ponce, Utuado y Mayagüez contaban con tejidos urbanos de mayor tamaño que la propia capital. Liberada de sus murallas, San Juan volvería a agigantarse iniciando el próximo siglo. Sólo a partir de 1951 el antiguo municipio de Río Piedras se fusionó con el de San Juan y la capital se tornó en el centro del Área Metropolitana. Hoy se desparrama ocupando un término municipal de 123.8 kilómetros cuadrados aunque el área metropolitana que toma su nombre se extiende inexorablemente por muchos más. Es quizás una resignificación del antiguo partido de los tiempos fundacionales.

La historia de una ciudad puede recogerse en informes de gobierno, en los juicios de residencia de los alcaldes, en las obras públicas realizadas. Está contenida en legajos de archivos y bibliotecas, en viejos mapas, cartas, piezas literarias, cuadros, fotografías, películas y en las memorias de sus residentes. Todos estos medios pueden dar cuenta de la relación entre los administradores y los habitantes de la ciudad, las formas de enfrentar retos naturales y políticos. También narran la relación de la ciudad con el resto del país, y con las sedes de los poderes locales y metropolitanos. Este libro se concibe como una fuente adicional para el manejo de conceptos, herramientas y prácticas de la ciudad de San Juan en el periodo cercano a su medio milenio.

Alcaldías y tiempos de la ciudad

Algunas de las administraciones municipales marcan improntas culturales de mayor contundencia o generan *gustos e ideas de ciudad*, bien sea por la longevidad de la gestión como fue el caso de la administración de Felisa Rincón de Gautier (1946-1968); por haber estado en la batuta del municipio en coyunturas de crisis como ocurrió con Roberto H. Todd a quien le tocó, en una de sus administraciones, lidiar con la epidemia de peste bubónica (1912) y en otra posterior con la pandemia de influenza española (1918-1919) o por la transformación espacial y territorial que ejercen sobre la ciudad, tal como pasó con José Antonio Cucullu, bajo la gobernación de Fernando de Norzagaray (1852-1855).

Con Cucullu, asistimos a la conversión neo-clásica de la ciudad en la que se erigieron estructuras públicas como el Mercado de la Ciudad; el Paseo de la Princesa y todo el conjunto monumental de Ballajá. Un siglo más tarde con Doña Fela en la alcaldía, advenimos a una modernidad de las costumbres y de las estructuras citadinas, ejemplificada por la construcción del Caribe Hilton a la entrada de la vieja ciudad, la absorción de Río Piedras, la dotación de vivienda pública en la forma de caseríos y las concomitantes modificaciones en la relación alcalde-ciudadanía.

Felisa Rincón de Gautier
Roberto H. Todd

Memorias municipales

En el pasado existieron procedimientos administrativos que evaluaban los hechos de cada incumbencia municipal. Estos testimonios son una fuente importante para construir la memoria de una ciudad, simultáneamente antigua (es el segundo asentamiento en el nuevo Mundo) y nueva. Algunos de esos testimonios no llegaron a ofrecerse o se perdieron por muchas razones, tampoco aparecen muchos de los documentos que complementaban los expedientes que aún se conservan. No obstante, con los legajos existentes se pueden examinar las ejecutorias de alcaldes en momentos de encrucijadas de la ciudad, cuando debido a sus actuaciones la ciudad cambió de aires y se bifurcaron sus derroteros. En el pasado reciente, ese procedimiento de administración municipal se descontinuó a favor de informes estandarizados de la gestión en los que a menudo se pierde el tono de reflexión y se adopta a cambio el modelo del informe de logros.

Este trabajo sugiere que se debería publicar una memoria anotada sobre la gestión municipal de cada alcalde. Más allá de documentar el período de gobierno específico, objetivo que también cumple, el modelo plantea un horizonte de reflexión a mediano y largo plazo, requisito indispensable para la planificación de la ciudad. Es también una especie de diagnóstico que intenta informar y formar una opinión amplia sobre la ciudad deseada en un momento dado, un detonante que debe estimular la capacidad de innovación ciudadana.

Sugerimos que este ejercicio ocurra siempre al cabo de cada alcaldía, pero luego de un periodo prudente, que permita establecer una cierta distancia frente a los ardores de las políticas exclusivamente coyunturales. Al iniciar lo que esperamos sea una nueva tradición, nos proponemos examinar uno de esos momentos-encrucijada que suelen coincidir en San Juan con los cambios de siglo. Se trata del periodo entre enero de 1997 y enero de 2001.

Reflexión sobre la ciudad

Al elaborar la memoria de San Juan en tanto ciudad de entresiglos, nos convoca el recuperado protagonismo de las ciudades en las últimas décadas del siglo pasado. Ciertamente, durante el siglo 19 y gran parte del siglo 20, las naciones constituyeron el *locus* territorial, político, socioeconómico y cultural preferente sobre el cual se vertieron las grandes teorías de organización y transformación social. Las ciudades eran, por supuesto, su emblemática más representativa e iluminadora. En muchas ocasiones, las metropolis eran los fragmentos que parecían condensar el *ethos* y la figura de un país.

A pesar de la importancia simbólica y empírica de las ciudades, especialmente las capitales y centros regionales, en momentos de gran transformación para ciertas sociedades, se perdían de vista los lenguajes y lógicas particulares de la ciudad a favor de los marcos más anchos de la nación. Puerto Rico es uno de esos casos. Al advenir su modernización, las legislaciones, la organización del poder y las utopías de crecimiento se tornaron fuertemente centralizadas, privilegiando al nuevo Estado Libre Asociado (1952) y su ámbito insular y coartando desarrollos y perspectivas más localizadas. A mitad del siglo 20, la economía todavía estaba marcada por un mundo agrícola rural donde las ciudades tenían aún poco peso demográfico. En una isla de cerca de 9,000 kilómetros cuadrados, donde la mayoría de la población vivía en el campo, se presuponía que la centralización era la mejor manera de racionalizar la toma de decisiones. Esa centralización se aglutinó en la Capital.

¿Cómo se recupera una reflexión sobre la ciudad? Con cierto grado de ironía, es ahora, en momentos en que se acentúan las redes globales y las cartografías supranacionales, que las ciudades re-emergen como lugares más abiertos y flexibles para manejar las tensiones y las oportunidades que el nuevo ordenamiento del mundo propone. En el caso de Puerto Rico, debe añadirse, el colapso de los modelos centralizados de planificación urbana y territorial ha potenciado que se vuelva la mirada a las ciudades y pueblos como sus metáforas vivas y que se gestionen soluciones *desde y para la ciudad.*

Al cerrar un ciclo de quinientos años de vida de la ciudad de San Juan, pareciera que estamos ante un retorno semántico. A la isla en sus primeros tiempos se le denominó San Juan y Puerto Rico era el nombre que asumió la ciudad de frente a la bahía. Mirar a Puerto Rico desde San Juan hoy no remite al prepotente del bastión murado que desdeñaba al resto insular, y que marcó durante siglos nuestra geografía de identidad, aún cuando la imagen de la ciudad murada sigue conformando muchos de los relatos de identidad citadinos. Es, por el contrario, diligenciar para la ciudad nuevos y pertinentes *sentidos de localidad* con los cuales transitar, con mayor equilibrio y amabilidad, la cotidianidad y aspirar a mayores cotas de calidad de vida.

Ciudad de Puerto Rico, 1625
Instituto de Cultura Puertorriqueña

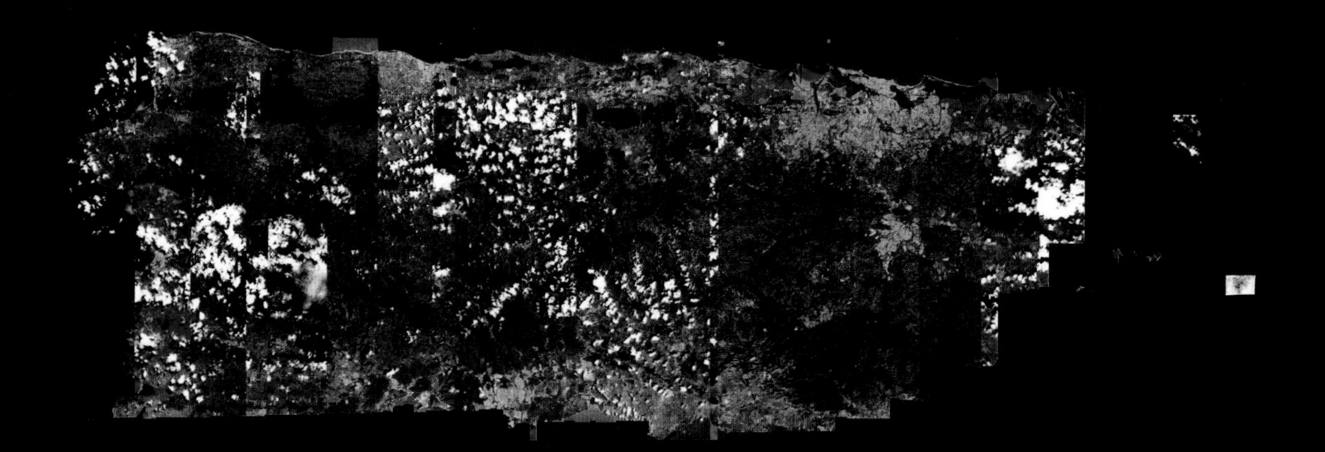

Isla de Puerto Rico, 2000
Satélite Ikomos, Municipio de San Juan

Esta *visita guiada* a un periodo muy corto de tiempo (enero de 1997 a enero de 2001) del San Juan del fin del siglo 20 intenta mostrar las capacidades de la capital de Puerto Rico para interactuar en el mundo de ciudades que comenzó a articularse en los últimos lustros del siglo pasado. Es un itinerario, además, de cómo la ciudad intenta revertir en varias zonas claves, comportamientos gastados y renovar sociabilidades, estéticas y sensibilidades ciudadanas. Al examinar los principales vectores que caracterizaron la gestión de la administración de la alcaldesa Sila María Calderón, intentamos, sobre todo, valorar nuevamente la ciudad como experiencia y proyecto colectivo.

cambios de talante

Cambios de siglo, cambios de talante

Desde sus tiempos fundacionales, los periodos de *entresiglos* han sido momentos de espesor histórico para San Juan, momentos-encrucijada, que determinan gran parte de la historia de la ciudad y, hasta cierto punto, definen las agendas de sus administradores. En los intensos tránsitos de siglo se iluminan también los grandes tablados de cambio global del cual la ciudad forma parte.

La ciudad de San Juan nace al inicio del siglo 16 *bajo el signo del agua* [1], dentro de una primera globalización impulsada por la expansión europea al Nuevo Mundo. Al comienzo tuvo dos nombres. Su primer apoderado, Juan Ponce de León, quiso que se llamase Caparra[2], ciudad

Detalle del plano de Juan Ponce de León II y Antonio de Santa Clara, 1582. Archivo General de Indias, Sevilla

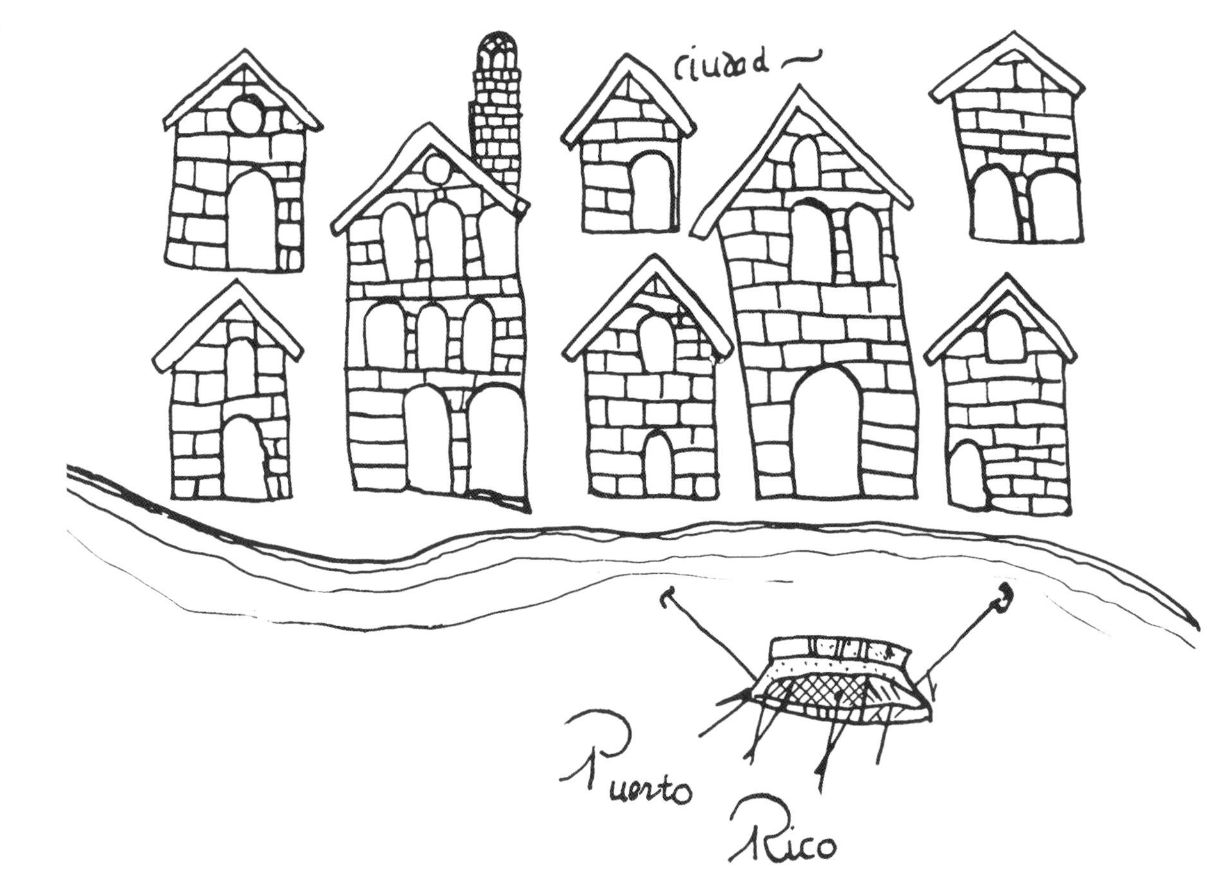

romana de Extremadura cercana a su lugar natal. No obstante, el puerto y sus ansiados intercambios constituyeron desde un comienzo el imán denominador, de ahí que se prefiriera el de Puerto Rico. En medio de la sucesión de encuentros y ocupaciones que constituye la Conquista, ocurrió el primer asentamiento y posterior mudanza de San Juan. No fue hasta el tardío siglo 19 en que el nombre Puerto Rico se desplazó por completo a nominar la isla y San Juan denominó con exclusividad a la ciudad capital.

Escalera gótica de la Catedral, 2007
Aníbal Sepúlveda

Los primeros pobladores soñaron una *ciudad de piedra*, interconectada al naciente comercio trasatlántico y global que hace despegar al capitalismo como orden económico hegemónico. No obstante, las rutas americanas del oro, la plata, la cochinilla, palo de Brasil y otros productos que ensancharon la colonización del Nuevo Mundo pronto circunvalaron las Antillas. La ciudad se ubicó en una periferia discreta del naciente sistema urbano en las Américas.

Transcurrido un siglo de su fundación, en su segundo entresiglos, San Juan fue nuevamente escenario de grandes eventos que marcaron para siempre su carácter. En el periodo comprendido entre el fin del siglo 16, y el primer cuarto del siguiente, la ciudad fue invadida militarmente en tres ocasiones: en 1595 y 1598 por los ingleses y en 1625 por los holandeses. Esos eventos bélicos convencieron a las autoridades del imperio español del gran valor estratégico de San Juan en el concierto de ciudades de la región caribeña. En sus administradores locales y en la población sanjuanera, los ataques activaron terrores, desesperanza y aislamiento.

Como resultado de esas tres invasiones, y de los subsecuentes subsidios externos que de una u otra forma se agenciaron, se posibilitó la construcción de las murallas. El formidable sistema defensivo transformó la geografía y el paisaje urbano y social. Los asedios definieron el nuevo talante sanjuanero. San Juan se constituyó como una ciudad murada, encapsulada y desvinculada del resto de la isla. Como si se tratase de una ciudad-estado, la capital de la isla se concibió aislada de su propio *hinterland*[3]. Sus murallas, orgullo militar y cívico, han definido desde entonces el perfil identitario de la ciudad. Las murallas sanjuaneras son una especie de marca registrada, una denominación de origen que destaca la ciudad en el resto del mundo.

Reconvertidas en recurso de identificación y de consumos turísticos, la ciudad sigue contando con este espléndido recurso. Los fuertes y murallas sanjuaneras son hoy depósitos de identidad que emiten cargas simbólicas sobre el carácter de la ciudad. Sin embargo, ese patrimonio corre la suerte de ser convertido en un parque temático si junto a este creciente valor de intercambio no se recupera la dimensión ciudadana y memoriosa del conjunto murado. Vale recordar que el municipio de San Juan tiene poca o ninguna ingerencia en el manejo de las murallas que le dan identidad por hallarse bajo jurisdicción federal y del gobierno central.

En el entresiglos 17-18, la ciudad protagoniza un intenso proceso de caribeñización como respuesta al aislamiento y la despoblación. San Juan recurre a importantes resortes de supervivencia y socialidad para poder sobrevivir. El zapatero mulato Miguel Enríquez, convertido en corso de los mares por la monarquía española, simboliza la capacidad de la ciudad de adaptarse a coyunturas de escasez, pero también de oportunidad, con ingenio y sentido de lugar. San Juan se convierte en un eje crucial de trasiegos en un siglo 18 donde el Caribe es escenario de luchas hegemónicas por el dominio del comercio mundial y por el triunfo de ideales nuevos de libertad. En ese entresiglos se materializa y solidifica la pátina de una ciudad que adquiere los matices ricos de la mezcla racial. San Juan no puede reclamar inútiles *purezas de sangre*. Su historia no puede desligarse de la hibridez de su cocina, de sus cánticos de altar, sus fiestas religiosas y de sus tambores nocturnos.

Detalle de Gobernador Ramón de Castro, 1800 José Campeche, Museo de Arte e Historia de San Juan

Tanto es así que el próximo entresiglos (18-19) queda marcado por la excepcional victoria sobre el invasor inglés en el que convergen voluntades y bizarrías de mulatos, negros y criollos. Victoria memorializada por la paleta de otro mulato, José Campeche, testigo de la invasión desde lo alto de la Iglesia de San José. Por supuesto, nada de esto significa que San Juan rebase los esquemas de desigualdad que habrán de acentuarse con la introducción de esclavos para el modelo de plantación que sienta sus reales en el siglo 19. Más bien remite a una piel mestiza de San Juan que la alimenta desde los esteros y mangles, que empiedra sus calles y levanta sus fortalezas barrocas.

La defensa victoriosa frente a la invasión inglesa de 1797, que en esta ocasión se organizó desde de toda la isla, contribuyó a forjar una visión más unitaria del país. Al final del llamado *Siglo de las Luces* San Juan tomó conciencia definitiva de su condición de capital de la isla. Con la elección en 1809 del sanjuanero Ramón Power y Giralt como primer diputado a las Cortes de Cádiz, San Juan se expone nuevamente a las modificaciones globales acarreadas por lo que se ha llamado la Era de las Revoluciones Atlánticas. Iniciada en la propia América con la Guerra de Independencia de las Trece Colonias (1776) es continuada con la Revolución Francesa (1789), la Revolución Haitiana de Independencia (1791), la Revolución de Independencia de Hispanoamérica (1810) y la Revolución Liberal en España (1809), se plantean en esta era nuevos ideales de libertad personal vinculados a la noción de los derechos inviolables del ser humano.

En el plano económico, la Revolución Industrial modifica los esquemas de producción, circulación y consumo de bienes habilitando una etapa de intenso crecimiento y acumulación para el capitalismo. Tanto las modificaciones políticas como las económicas remiten a un horizonte más amplio de modernidad en el pensamiento y en el sentido de lo público y lo privado.

Ese afán de modernidad permea hasta las sociedades de mayor atraso y aislamiento como la nuestra. Inspira, sobre todo en nuestras ciudades, iniciativas de renovación urbana, muchas de ellas truncadas por la desidia o la suspicacia de las autoridades, temerosas de todo cambio. Con lentitud pero con voluntad persistente se alcanzan en algunos de nuestros centros urbanos, como Mayagüez y Ponce, adelantos significativos en los tejidos materiales, sociales y culturales

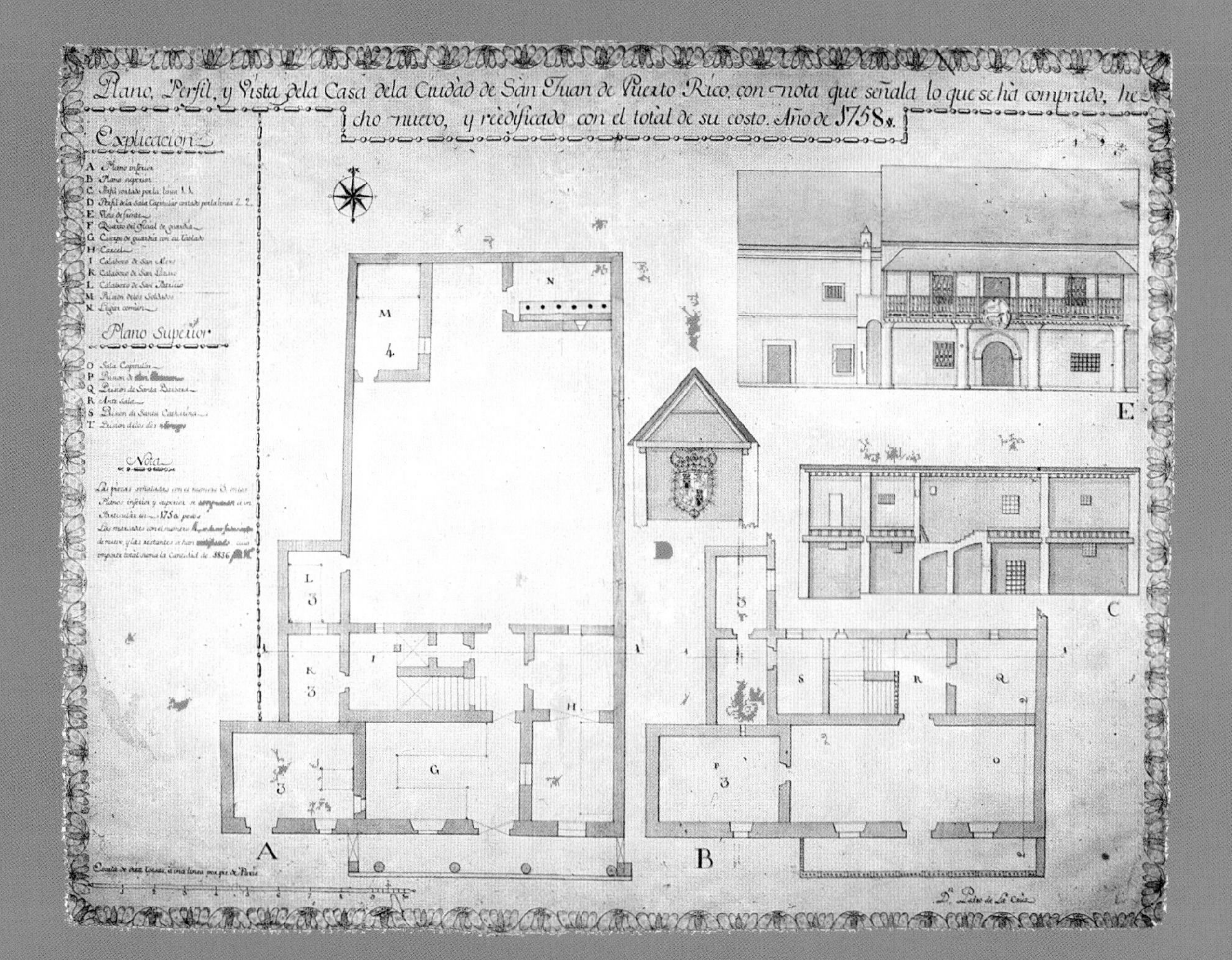

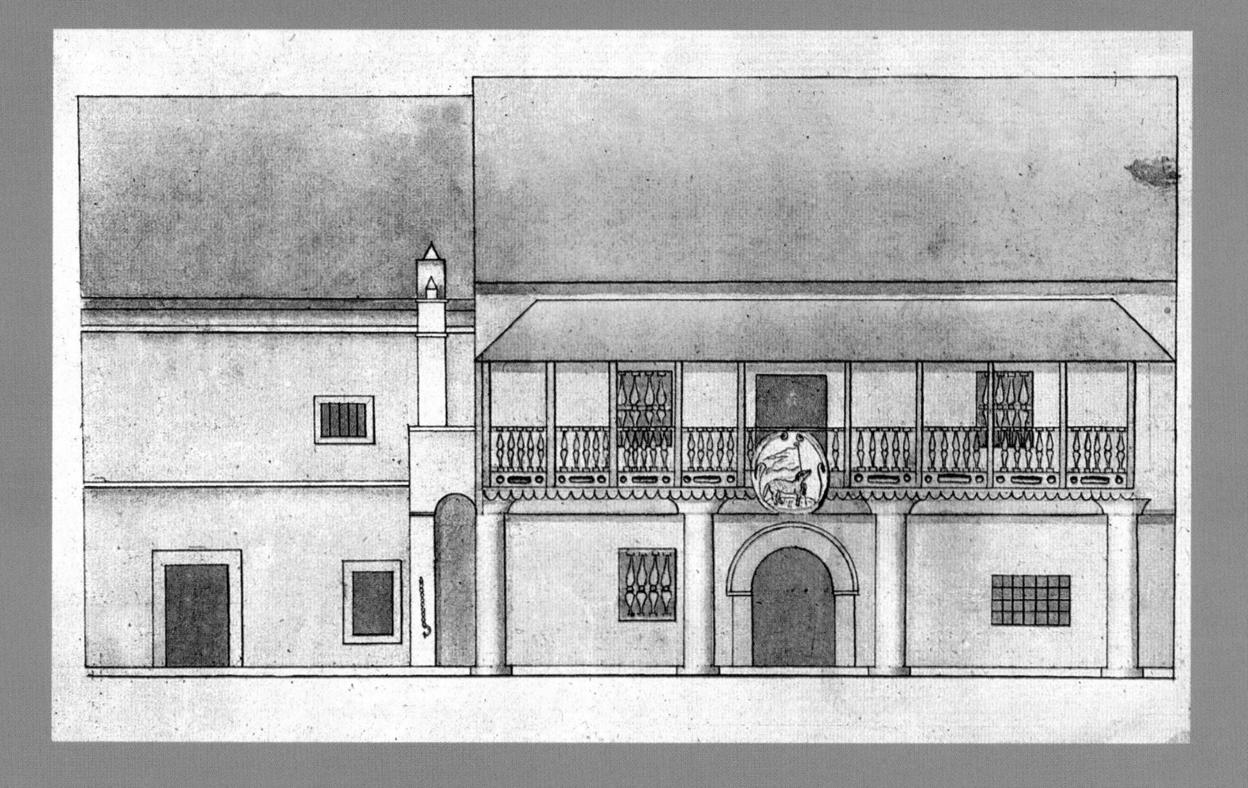

Alcaldía, 1758. Pedro de la Cruz, Servicio Geográfico del Ejército, Madrid

Excmo. Ayuntamiento de S uan de Puerto-Rico

PRESID CIA

AVISO AL BLICO.

Habiéndose dado principio á la colocación de la tuberia del acueducto en las calles de esta C dó el Excmo. Ayuntamiento, en sesión celebrada el 11 del corriente mes, se haga saber á los propietarios de casas ó sus representantes, que la Excma. Corporación instalará á as las tomas y contadores de agua durante el curso de ejecución de la obra del acueducto de San Juan, mediante las condiciones siguientes:

PRIMERA.=La longitud de la toma entre la casa y la tuberia principal, no excederá de cinco gasto extra que origine instalar tomas de màs de cinco metros de longitud, será de cuenta de quienes la soliciten.

SEGUNDA.=La solicitud de concesión de aguas se hará por los dueños ó legítimos represent s casas correspondientes, durante el curso de ejecución de la obra del acueducto, comprometiéndose en la instancia á hacer por su cuenta la instalación interior y á consumir p como minimun, *cien metros cúbicos* de agua al año y á pagar por trimestres, cuando menos, veinticinco metros cúbicos aún cuando no los consuma.

TERCERA.=Se hace saber que terminadas las ras de distribución del acueducto, aquel qu concesión de agua, tendrá que sufragar á sus espensas los gastos de instalación, cuyo importe aproximado es el siguiente:

Instalación á todo costo de una toma de agua de cinco metros de lon neda corriente, $14.

PRECIO EN O

Adquisición del contador de 3|8 pulgadas que dé paso á 500 litros dia $10.
Idem idem de 1|2 idem idem á mil litros id $12.
Idem idem de 3|4 idem idem á dos mil quin idem. $19.
Idem idem de 1 idem idem á 6000 $27

Al mismo tiempo acordó el Excmo. Ayuntamiento se publique, para general conocimiento, la tarifa ap precios del agua que se toma y es como sigue:

Para uso doméstico solamente, $0.15 cada metro cúbico. Para uso ind 0.12. Para plantaciones, jardines y fuentes privadas, 0.10. Para usos públicos del Estado, Provincia ó Municipio, $0.8 moneda corriente.

Y en cumplimiento de lo acordado, se anuncia en hoja suelta para co iento general.

Puerto-Rico, 14 de Abril de 1898.

Francisco del Valle.

Tip. de La Correspondencia

Tarifas del Acueducto, 1898. Archivo General de Puerto Rico, San Juan

de la ciudad. En San Juan, sede del poder político y militar, la primera modernización de la ciudad se abre paso con grandes dificultades.

El siglo 19 fue un siglo de paz en el que San Juan se libró de asedios militares. Con timidez y libertades restringidas, los sanjuaneros anhelaron y lograron integrarse, desde los márgenes, a la modernización económica, social y política que transcurría en el resto del mundo. La ciudad se dotó de prensa escrita, teatros, telégrafos, tranvías, se modernizó el puerto, se abolió la esclavitud, tuvo partidos políticos y se diseñaron ensanches urbanos con signos propios de identidad.

A medida que la ciudad perdía su talante casi exclusivamente militar crecía una ciudad cívica y de masas que ya rebasaba sus ancestrales murallas. Paralelamente, San Juan compartió con otras ciudades de la isla el ambiente transformador de la modernidad. Ciudades como Ponce o Mayagüez, mejor dotadas de infraestructuras de comercio y de mentalidades y ambientes modernos, le arrebataron su otrora absoluta primacía en el sistema urbano de la isla.

Llegado el próximo entresiglos, San Juan demolió parcialmente sus veteranas murallas para dar paso al ansiado ensanche urbano. La ciudad estaba en auge de construcciones. Entre ellas el Acueducto Municipal que trajo las aguas del río Piedras al recinto capitalino. Por primera vez, muchos sanjuaneros tuvieron agua corriente en sus casas. La línea de agua potable que discurrió a lo largo de la Carretera Central (hoy, Ponce de León) también propició el crecimiento lineal de la ciudad a la vez que potenció al puerto de San Juan como lugar de trasbordo regional. Para entonces, San Juan se convertía en la capital de una provincia con carta de autonomía.

Alcaldes 1900-1945:

Manuel Egozcue Cintrón
José Marxuach
José Ramón Látimer
Roberto H. Todd
Manuel Sánchez Morales
Francisco Ponte
Esteban Faura
M. Echeverría
Martín Travieso
Rafael Diez de Andino
Jesús Benítez Castaño
Bolívar Pagán
Carlos M. de Castro
Fernando J. Geigel
Blas C. Herrero
Juan Carreras
Gonzalo Diago
Roberto Sánchez Vilella

Sin embargo, el 12 de mayo de 1898, la ciudad cuatro veces centenaria experimentó otro bloqueo y bombardeo militar. El hueco hecho por un proyectil de la armada estadounidense en la fachada de la iglesia de San José es una metáfora que define la nueva encrucijada. A manera de un hoyo negro sideral ese hueco succionó viejas ataduras y presagió profundos cambios en el futuro de la ciudad.

La ocupación estadounidense con que se inició el siglo 20 conllevó una remilitarización de la ciudad. La nueva condición de base naval fue determinada esta vez por su privilegiada posición estratégica en las rutas de navegación del futuro Canal de Panamá. Una vez más la posición estratégica de su puerto determinó el destino de San Juan de cara a un mundo que continuaba globalizándose, esta vez bajo la tutela de Estados Unidos. Como cuatro siglos antes, se le asignó a San Juan un papel defensivo en el concierto de ciudades que organizaban los procesos productivos del capitalismo internacional.

Alcaldía, 1898c. Archivo General de Puerto Rico, San Juan

Arrabal El Fanguito. *Santurce, 1955c.*
Archivo General de Puerto Rico, San Juan

En respuesta a la Gran Depresión, la ciudad se benefició de las obras que se realizaron con el auspicio de la *Puerto Rico Reconstruction Administration* (PRRA). Los programas redentoristas del Nuevo Trato trataron de mitigar con obras públicas y de vivienda los índices de pauperización y miseria urbana. Si la primera hornada de obras de la década de 1920 llevó el sello del gobierno estatal, la segunda se realizó casi exclusivamente con el auspicio del gobierno federal, durante la presidencia de Franklin Delano Roosevelt.

Sin embargo, San Juan y sus arrabales se extendieron incontenibles como mancha dolorosa. No es hasta el fin de la guerra en 1945 que se sistematiza un esfuerzo de erradicación del arrabal. Esto coincide con el inicio de la suburbanización y la popularización de los proyectos de vivienda a donde serían relocalizados los expulsados de los arrabales y otras comunidades pobres.

Cantera, Hato Rey. 2000

La capital del ELA

Al finalizar la Segunda Guerra Mundial y establecerse el Estado Libre Asociado (ELA) en 1952, ocurrió en San Juan otro de esos momentos cargados de energía que marcaron derroteros nuevos para la ciudad. Abrumado por las nuevas exigencias de las urbanizaciones donde se asentaban muchos de los recién llegados del resto de la isla, el limitado territorio municipal, que hasta entonces sólo extendía su frontera sur hasta el caño de Martín Peña, adosó al viejo municipio de Río Piedras.

Por un breve periodo histórico se alcanzaron astronómicas cotas de construcción urbana en la capital y su creciente área metropolitana. La ciudad creció ininterrumpidamente a la vez que se ubicaron en San Juan las funciones del gobierno central. Sin embargo, los municipios, incluido el de San Juan, vieron disminuir sus competencias fiscales y administrativas a medida que se consolidaba un gobierno estatal fuerte.

Un ejemplo de obra pública que refleja el concepto de San Juan como cabeza de un país centralizado, es la planificación y construcción del Centro Médico en Río Piedras. La administración de la alcaldesa Felisa Rincón avaló la ubicación del conjunto médico-hospitalario en lo que para entonces era la periferia del área construida de Río Piedras. La ocupación del territorio de Río Piedras fue la pauta seguida por varios lustros. Una vez agotados los terrenos cercanos se comenzó a construir a saltos hacia los municipios colindantes.

Alcaldes 1946-2001:

Felisa Rincón de Gautier (1946-1969)
Carlos Romero Barceló (1969-1977)
Hernán Padilla (1977-1981)
Baltasar Corrada del Río (1981-1989)
Héctor Luis Acevedo (1989-1997)
Sila María Calderón (1997-2001)

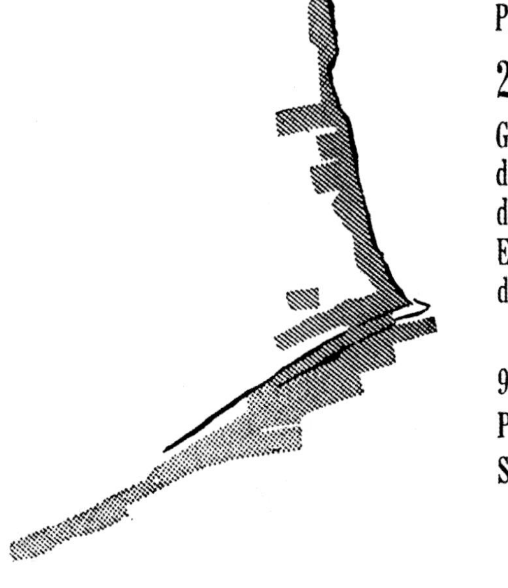

Próximo domingo
25 DE JULIO
Gran celebración
del 2do. Aniversario
de la fundación del
Estado Libre Asociado
de Puerto Rico
9:30 A. M.
PARQUE SIXTO ESCOBAR
San Juan
EL 25 DE JULIO ES TU DIA... ¡CELEBRALO CON ORGULLO!

Celebración de la Constitución, 1954
El Imparcial. Archivo General

A partir de entonces, hasta el fin de siglo, la historia urbana de la capital de Puerto Rico se asemeja a la del resto de las ciudades norteamericanas. Una sociedad de consumo creciente adoptó formas y estilos de vida que la desvincularon aceleradamente del pasado agrícola de sus mayores. La ciudad creció horizontalmente en espacios discontinuos acotados por el automóvil, el modo de transporte privilegiado desde entonces. Los espacios públicos se hicieron cada vez más exiguos y poco significantes. Las autopistas se convirtieron en los nuevos ejes de crecimiento y los peajes en las nuevas puertas de la ciudad.

Como en muchas otras ciudades del mundo, San Juan adoptó el modelo de desarrollo urbano característico de la era de la industrialización. El fenómeno en Puerto Rico adquirió características alarmantes dadas las tendencias de sobreocupación del escaso suelo isleño, del agua y los servicios. Prevalece desde entonces una urbanización difusa y dispersa, tachonada de enclaves y espacios privatizados especializados.

Tales espacios son lugares de centralidad que delimitan y a la vez son resultado de las nuevas actividades significantes de la economía: el consumo, el ocio, el comercio, los espacios de oficina, las farmacéuticas, los centros médicos, universidades, etc. En parcelas discontinuas se alzan las urbanizaciones clasemedieras donde reside buena parte de la población. Entre las áreas de centralidad y las urbanizaciones autocontenidas que definen la estructura básica de la ciudad desparramada, se ubican espacios degradados. Como en el caso de las ciudades norteamericanas, allí se instala una creciente población de familias desposeídas que no han logrado montarse al carro del progreso.

Página opuesta:
Arriba: Santurce 1960 c. Archivo General de Puerto Rico, San Juan

Abajo: Expansión suburbana a partir de Puerto Nuevo, 1965. Archivo General de Puerto Rico, San Juan

A la población que emigró o se asentó en los suburbios le acompañó la atención de las autoridades y las inversiones públicas, con el consecuente abandono de la ciudad tradicional. A partir de la segunda mitad del siglo se acentuó en la ciudad la segregación social y productiva del espacio así como las distancias entre esos espacios sociales diferenciados. El consumo comenzó a organizar las vidas de los sanjuaneros que tuvieron en los centros comerciales y la televisión sus nuevos referentes urbanos.

En las últimas dos décadas del siglo 20, este tipo de urbanización produjo un crecimiento económico desigual. El afán especulador, que erróneamente se le llama *desarrollador*, fue impulsado por un patrón en donde la construcción era en sí misma principio y fin del movimiento de mercancías y por ende generadora de empleo. Ese modelo también se entronizó a pesar de que el crecimiento demográfico no exigía tal magnitud de espacio construido. Para habitar los nuevos espacios hubo necesariamente que abandonar otros. El malgasto del espacio es una característica del modelo denominado *la ciudad difusa*.

En palabras del urbanista Jordi Borja el modelo de una ciudad difusa posee las características de una urbanización sin calidad que aún no llega a ser ciudad.[6] Se trata, casi siempre, de espacios de periferia, que otros han llamado también las *edge cities* [7].Esta ocupación del territorio sin anclajes de memoria o de historia se organiza desde la hegemonía del automóvil, con paisajes edificados, no naturales y con abundante contaminación visual y auditiva.

Como corolario, la urbanización del San Juan del fin del siglo ha producido espacios genéricos, sin identidad propia. Se abandonaron los viejos centros que en momentos anteriores tuvieron vocación trunca de ciudad. San Juan es hoy un conjunto de espacios construidos donde los elementos de referencia son los centros comerciales, los establecimientos de comida rápida, las gasolineras, los peajes y los semáforos de las avenidas. Todos ellos de una forma u otra están vinculados al automóvil. Por supuesto, entre esos espacios genéricos resaltan áreas mejor cuidadas por los sectores privados que dominan el resto del paisaje. Se trata de los complejos de oficinas y urbanizaciones cerradas de acceso controlado. Una red de autopistas se impone sobre ese tejido de espacios y define una nueva segregación social y funcional de acuerdo al tiempo en automóvil a los lugares de centralidad.

La ciudad está sujeta a fuerzas centrífugas que tensan la capacidad municipal para dotar de servicios eficientes a un área tan dilatada. El desorden y la improvisación marcan las nuevas construcciones y el abandono de las viejas. En ese ámbito vivimos la mayoría de los capitalinos. No ha habido una solución de continuidad para constituir una relación idónea entre los núcleos urbanos y los *edge cities* sanjuaneros. Incómodos, nos acostumbramos a esta geografía discontinua que sólo es accesible si estamos motorizados.

cambio de modelo

Cambio de siglo, cambio de modelo

El suburbio desconectado como espacio de crisis y dislocación conduce a una reflexión sobre la necesidad de las accesibilidades urbanas. Así también, la contaminación y los altos costos energéticos –fenómenos de impacto mundial- tornaban insostenible la naturalización del *edge city* también en San Juan. A pesar de la dispersión dominante de este modelo expansionista y la pertinaz inercia de las viejas fórmulas de construir, para las últimas décadas del siglo pasado surgieron modelos alternos que intentaban frenar este panorama. Un nuevo paradigma conocido como *nuevo urbanismo* [8], comenzó a fraguarse en Estados Unidos y en otros países como respuesta a la desenfrenada ocupación del territorio y la degradación de muchas de las áreas urbanas.

Por otro lado, el municipio de San Juan experimentó en las últimas tres décadas del siglo 20, por primera vez en su historia, una reducción de población [9]. En ese periodo las clases medias abandonaron en masa el municipio para ubicarse en las urbanizaciones de los municipios aledaños que conformaban la creciente región metropolitana. Con este éxodo disminuyó la capacidad fiscal del municipio. San Juan vio menguar sus ingresos a la vez que se vio requerida a aportar un mayor número de servicios municipales esenciales como capital del país.

San Juan y el reto global

Al fin del siglo 20 la ciudad de San Juan presentaba un cuadro de una capital hipertrofiada que luchaba por mantener sus capacidades gestoras a la vez que intentaba mantener sus ventajas comparativas en un mundo global, de mucha competencia, al cual se incorporaban sigilosamente nuevas regiones metropolitanas para atraer oportunidades de desarrollo dentro del orden post industrial.

Se ha dicho que las ciudades están mejor preparadas para asumir con flexibilidad la globalización. Pero los estados nacionales tienen unas densidades y un poder de persistencia que no se puede soslayar. ¿Cómo armonizar ambas pulsiones? Dentro del optimismo que acompañó al milenio y que rodeó la gestión municipal 1997-2001, se vio a la ciudad como un espacio renovable que podía auspiciar las transformaciones en los comportamientos, en la calidad de vida y en su disposición y talante requeridas para ocupar un lugar relevante (a escala) en el mundo global.

Plan de Ordenación Territorial de

San Juan

Fase de Avance

Revisión noviembre de 1999

Municipio de San Juan

Hon. Sila María Calderón
Alcaldesa

Posiblemente algo de esto haya cambiado con los eventos del 11 de septiembre de 2001, pero las ciudades siguen siendo los polos que generan propuestas más imaginativas para atender las transformaciones en los comportamientos, en las utopías y en las identidades del mundo global. El más reciente entresiglo en la historia sanjuanera estuvo marcado por profundos cambios en las estructuras productivas a nivel planetario. En ese contexto de regiones urbanizadas cada vez más en competencia por atraer parcelas de producción y riqueza es que se examina el periodo que nos ocupa.

Percibir correctamente las circunstancias, desembarazarse de viejas polémicas de jurisdicción que anteponen los viejos conceptos de estado-nación a las nuevas realidades donde lo global no borra lo local y las ciudades dominan la escena mundial, conformaron el escenario que tuvieron ante sí muchas otras ciudades en los últimos lustros del siglo, como fue el caso de Barcelona, Los Ángeles o Manchester. La respuesta de estas ciudades fue preparar planes estratégicos que examinan contextos, calibran oportunidades y debilidades de la ciudad para invertir recursos siempre escasos.

San Juan no contaba con un plan urbano de carácter estratégico. La necesidad de partir de un proyecto de ciudad atemperado a los tiempos globales era una insistencia de un grupo limitado de profesionales vanguardistas y aún no se incorporaba como política pública por el cuerpo municipal y, menos aún, como discurso ciudadano. En el cambio de milenio sobraban las razones para proyectar estrategias de futuro pero en San Juan aún no se consolidaba el marco conceptual y la oportunidad política para adelantarla.

El protagonismo del gobierno municipal de San Juan en un escenario global se intentó materializar a partir de 1997 a través de una serie de políticas públicas. La lista estuvo encabezada por la atención a las comunidades que el gobierno designó como *especiales*, la seguridad pública, los asuntos de la salud, el desarrollo económico y el turismo, los temas de urbanismo y arquitectura; el mantenimiento y desarrollo de nuevas infraestructuras y el cuidado del ambiente; el impulso al desarrollo social, la recreación y los deportes; aspectos relacionados con la valoración de la cultura local y por supuesto la modernización de los asuntos administrativos. Esta serie de asuntos o áreas programáticas prioritarias del gobierno municipal coinciden con los enunciados por otras grandes ciudades del mundo occidental.

Si fuéramos a definir a grandes rasgos la gestión municipal de una ciudad exitosa al fin del siglo 20 esta gestión estaría orientada a consolidar la ciudad como una metrópoli emprendedora, con ingerencia sobre la región geográfica y económica en la que está inmersa; velaría por la calidad de vida, el equilibrio social y su arraigo en la cultura local. Esos son a grandes rasgos los horizontes de deseabilidad urbana en los que se insertó la administración que gobernó la capital en el último cuatrienio del siglo 20. De sus logros e insuficiencias, de los proyectos de resignificación urbana emprendidos y de los tiempos de oportunidad y de complejidad de la ciudad de entresiglos hablamos en esta crónica.

Arborización en la Avenida Ponce de León, 2000

Recuperación de la Plaza del Mercado en Santurce, Emilio Martínez Arquitectos, 2002

Capítulo 2

Grabado de Marta Pérez. Publicado en el portafolio Ciudad Infinita, 2000

SOÑAR CON LOS PIES EN LA TIERRA

Las formas de gobernar

< El desarrollo económico exitoso tiene que ser, en su propia naturaleza, de composición abierta en vez de estar solo orientado hacia los objetivos y, a lo largo del proceso, tiene que hacerse a sí mismo rápido y empírico. Por un lado surgen problemas imprevisibles; las personas que desarrollaron la agricultura no podían prever el agotamiento del suelo, las personas que desarrollaron el automóvil no podían prever la lluvia ácida... El desarrollo económico [es] un proceso de continua improvisación, en un contexto que facilita la incorporación de improvisaciones en la vida cotidiana... Las ciudades son un tipo de economía de composición abierta, en la cuál nuestra capacidad de creación económica -también abierta- no sólo permitirá establecer "nuevas cosas pequeñas", sino que también las insertará en la vida cotidiana! >

Jane Jacobs, ***Cities and the Wealth of Nations*** (1984)

LA CAMPAÑA FUE UN LABORATORIO EN EL QUE SE PUSIERON A ESCRUTINIO MUCHAS DE LAS IDEAS SOBRE CÓMO GOBERNAR LA CIUDAD...

La ciudad y la campaña por la alcaldía

Un comprensible desencanto con la forma en que se desarrollan las campañas políticas en la actualidad no debe ser óbice para considerarlas como una plataforma que, en mayor o menor grado, prefigura la incumbencia a la que se aspira. Por supuesto, toda campaña conlleva cotas de promesa que por razones naturales exceden la capacidad de cumplimiento de cualquier administración, sea municipal o estatal, en Puerto Rico o fuera de nuestro país. Es un lugar común que el mercadeo político construye siempre horizontes que entusiasman e inventarios de proyectos que cubren un universo de votantes diversos. De ahí su tendencia inevitable a la exhuberancia. Sin embargo, el análisis de la campaña por la alcaldía de San Juan en las elecciones de 1996, revela evidentes líneas de continuidad entre lo anunciado y lo que luego se convertiría en acción administrativa.

Más allá de adjudicar un mayor nivel de probidad a la administración que ocupó la municipalidad en el cuatrienio 1997-2001 *vis a vis* otras administraciones previas o posteriores, lo que se interesa consignar de entrada es que la campaña de 1996 se concibió como un proceso de persuasión electoral y de consulta ciudadana, no sólo respecto a una particular candidata, sino a un particular programa. Sin escatimar las dosis retóricas naturales a los eventos electorales, el programa se puso a prueba precisamente en las jornadas de la campaña lo que permitió una retroalimentación que llevó a una mayor afinación de las guías conceptuales y de acción. La campaña fue un laboratorio en el que se pusieron a escrutinio muchas de las ideas sobre cómo gobernar la ciudad. Pero no sólo fueron expuestos los contenidos sino también las formas, es decir, los sistemas que habilitan las políticas y acciones públicas de una administración, la resolución de problemas, el equilibrio entre diferentes intereses ciudadanos, la auditabilidad de la gestión y la distribución del mando administrativo y del mando político, entre otros.

La candidata y su equipo de campaña adoptaron un *modus operandi* modelado de la empresa privada que ya había sido ensayado en varias de las incumbencias anteriores de Calderón como Coordinadora de Programas de Gobierno del Ejecutivo, Secretaria de la Gobernación y Secretaria de Estado durante la gobernación de Rafael Hernández Colón y también en la coordinación del Proyecto de la Península de Cantera tras su salida del gobierno. Fundamentalmente, la campaña se articulaba desde una identificación de metas y objetivos, recursos humanos y materiales y de un cronograma correspondiente. Instrumental en su eficiencia eran los procedimientos de seguimiento; más vulnerable era quizás la tendencia a no ajustar y modificar objetivos.

Recurriendo al argot mediático, la campaña probó que la pre-producción era tan o más estratégica que la propia ejecución. Irving Faccio, quien había colaborado con Calderón en La Fortaleza y que luego se había desempeñado como asesor en asuntos municipales y director del Centro de Recaudación de Ingresos Municipales (CRIM) bajo Hernández Colón y el primer año de gobernación de Pedro Rosselló, dirigió la campaña. Tras las elecciones, no aceptó cargo en el gobierno municipal, pero actuó como consejero en el despegue de la nueva administración.

Faccio, quien también coordinaría la campaña gubernamental de Calderón en 2000, sostiene que la campaña atrajo a jóvenes idealistas pero a la vez con peritajes y éticas de trabajo profesionalizadas. Muchos de ellos habían tenido experiencia en gobierno o recién concluían sus estudios en disciplinas afines como administración pública, finanzas, o derecho. La campaña plebiscitaria de 1993, ganada sorpresivamente por el PPD, había sido para algunos de ellos una revelación de cómo se podía obtener resultados combinando mensajes movilizadores con un equipo reducido aunque bien seleccionado y una organización férrea del evento electoral. Para Faccio, la campaña para la alcaldía aprendió de la plebiscitaria a mantener en mínimos los llamados negativos, es decir, no dirigir mensajes y recursos a descalificar adversarios o programas de otros candidatos sino a visibilizar las propuestas de gobierno propias[10].

Tras unas primarias internas en la cual Calderón obtiene el 92% de los votos, el equipo de campaña elaboró un plan muy estructurado en función de estrictos cronogramas y organigramas. Quizás tan importante como el plan fue la decisión de focalizar la producción de mensajes en torno a la ciudad y perfilar a la candidata como la más idónea para llevar a cabo la conversión de San Juan en una ciudad de primer orden. Aquí se tenía que hilar fino –Calderón sustituiría a una administración del mismo partido que el de ella– pero a la vez se perseguía otro objetivo de persuasión importante: atraer colaboradores para la campaña y electores potenciales que vieran en la candidata y en el programa de gobierno una opción viable, independientemente de su afiliación partidista.

En un país donde es cuesta arriba presentarse como un candidato con independencia de los partidos, Calderón logró durante la campaña complacer a tirios y troyanos. Por un lado, podía exhibir las credenciales de grupo necesarias pero, por otro lado, como nunca había optado por un puesto electivo estaba poco tocada por los inevitables avatares internos propios de una colectividad partidista. Durante la campaña, logró la adhesión de un gran número de personas no afiliadas. Los peritajes y experiencias de los mundos empresarial, académico y comunitario le imprimieron mayores dosis de realismo y vitalidad a los proyectos de gobierno. En ese sentido también la campaña anticipó estrategias y protocolos que se desplegaron en el cuatrienio alcaldicio.

de la campaña al gobierno

Del programa de campaña al programa de gobierno

Tras los juegos florales que suelen ser las inauguraciones y tomas de posesión, las administraciones municipales se enfrentan a la imperiosa labor de gestionar la obra de gobierno que propusieron. Con los constituyentes hay que pasar a la materialización de los deseos y para ello es necesario tener claro las estrategias de gestión.

Por lo general, los gobiernos municipales en Puerto Rico dedican sus primeros meses de gobierno a re-legitimar ante los ciudadanos los contenidos esenciales sobre la acción gubernamental que se enuncia en sus programas. Los programas de gobierno son casi siempre el resultado previo de un intenso trabajo en equipo de parte de un grupo de ciudadanos que trabajan en grupos focales y generan un borrador de asuntos prioritarios. La experiencia del primer ejecutivo y su equipo ajusta los borradores y con ellos se arma el programa de gobierno que se propone a la ciudadanía en la campaña electoral.

En los tiempos de fin de siglo en donde se requería nuevas responsabilidades a los municipios era perentoria una reorganización de la rama ejecutiva adecuada a las cambiantes circunstancias.

Durante el periodo de 1997 al 2001 en San Juan se puso especial énfasis en la modernización de la gerencia de la ciudad. En algunos de sus departamentos, el municipio jugó un papel importante en la formación de nuevos talentos. Para muchos funcionarios jóvenes la experiencia administrativa en la Alcaldía fue una oportunidad de maduración profesional.

A lo largo de cuatro años de gestión, la administración municipal de Sila María Calderón insistió en que se estaban poniendo en práctica en San Juan nuevas *formas de gobernar.* Un examen de las gestiones principales de gobierno en el período revela que el reclamo de novedad gerencial descansaba en varios planteamientos de carácter estratégico:

a. En primer lugar, la administración y gerencia del municipio no buscaba únicamente obtener logros puntuales en las áreas programáticas, sino en crear soluciones de continuidad que superasen los límites específicos de impacto.

b. En segundo lugar, se focalizaba no sólo en los contenidos sino también en las formas. La dimensión procesal es un renglón a menudo minusvalorado tanto en el ejercicio de gobierno como en la evaluación del desempeño. En esta administración se puso atención equilibrada a lo sustantivo y a lo procesal.

c. En tercer lugar, se interesaba atemperar –entre otras cosas, mediante la atención a las formas– el ejercicio de gobierno a las demandas cambiantes de la ciudadanía y de los retos que encara una ciudad. En todos los informes de gobierno, se reitera la importancia de las formas de gobernar atada a las expectativas ciudadanas de servicio, limpieza y eficiencia en la administración de la ciudad.

Más allá de la referencia obvia a la pulcritud financiera en la que insistía Calderón: *Quiero que en San Juan establezcamos un modelo de total transparencia en las finanzas públicas, la claridad se establece como parámetro de comunicación entre la Alcaldía y los ciudadanos.* La divulgación de los contratos, de los resultados de las auditorías externas, de las inversiones, etc., fueron elementos claves en la comunicación de una Alcaldía diáfana. También lo fue la insistencia en otros instrumentos de evaluación como los reconocimientos del Contralor, el establecimiento de una Oficina de Fiscalización de Fondos Federales y de instrumentos internos como los controles que instituye a partir del nuevo Sistema de Gerencia y Administración (SIGA). En lo que respecta al presupuesto, el imperativo de transparencia se concretó en el esfuerzo de la Administración en publicar los estados financieros auditados a la vez que se presentaba el Informe de Logros del municipio, con lo cual se establecía un marco de referencia para los cumplimientos de cada año fiscal.

El manejo de la información fue además de un marcador de la transparencia, un elemento operativo importante en el éxito o fracaso de una gestión. En el cuatrienio de fin del siglo 20 se dio en San Juan un salto cualitativo en la modernización de los sistemas electrónicos para el manejo de los datos. Se hizo cotidiano el uso electrónico de la información sensible como las

Cuerpo gerencial de la administración municipal, 1997

Archivo Fundación Sila M. Calderón

finanzas y la gestión del territorio. Para ello se dotó a los equipos de trabajo de nuevos sistemas electrónicos que paulatinamente repercutieron en la cultura cotidiana de la administración municipal. Se puso más rigor en las técnicas gerenciales más eficientes y por supuesto en estrategias financieras más efectivas.

En los informes de cada año fiscal y, en específico, en los mensajes complementarios de la Alcaldesa a cada uno de ellos, se elabora una crónica de los principios que se derivan de esta voluntad de la administración de Calderón de atender a las formas de gobernar.

aparato administrativo

Nueva concepción institucional del aparato administrativo

Tradicionalmente, las administraciones municipales han entendido los relevos ejecutivos de una manera fundamentalmente político-partidista. En primer lugar, acomodo o sustitución de personal de acuerdo a lealtades y confianzas; en segundo lugar, anuncio de programas o legislaciones, pero con poca reestructuración gerencial y administrativa. Esto puede tener muchas causas, algunas de muy larga duración, pero principalmente se trata de una disonancia entre programación y organización. Las estructuras suelen quedar inamovibles mientras las áreas programáticas nuevas se tienen que adaptar a ellas. En la mayoría de los casos, la disposición gerencial termina en ocasiones por modificar el programa para encajarlo a una lógica genérica de administración, con la consecuencia de que el propio programa termina por ser diferente al que inicialmente se pensó.

Desde su instalación en 1997, la administración Calderón adoptó una estrategia de adecuar las estructuras a los programas y prioridades de su plataforma. De ahí que las diez áreas programáticas: Comunidades Especiales, Seguridad Pública, Salud, Desarrollo Económico y Turismo, Urbanismo, Infraestructura y Ambiente, Desarrollo Social, Recreación y Deporte, Cultura y Administración se convirtieran también en estructuras operacionales.

DIEZ ÁREAS PROGRAMÁTICAS

10

COMUNIDADES ESPECIALES

SEGURIDAD PÚBLICA

SALUD

DESARROLLO ECONÓMICO Y TURISMO

URBANISMO

INFRAESTRUCTURA Y AMBIENTE

DESARROLLO SOCIAL

RECREACIÓN Y DEPORTE

CULTURA

ADMINISTRACIÓN

Pavimentación de la Avenida De Diego, Río Piedras, 1998

Limpieza de la Quebrada Juan Méndez, Río Piedras, 2000

Archivo Fundación Sila M. Calderón

En el caso del proyecto de las Comunidades Especiales, creación específica de la administración Calderón, la prioridad del programa con respecto a la estructura, es claro. Se organiza una nueva oficina que asigna la administración de la recuperación de las comunidades –en su mayoría tradicionales– con grandes deficiencias de infraestructura y donde prolifera el túnel sin aparente salida de la pobreza urbana. Lo mismo puede afirmarse en lo que respecta a los asuntos de urbanismo. Para gerenciar la vuelta a la ciudad, la administración creó un nuevo Departamento.

La creación del Departamento de Urbanismo es otro ejemplo de cómo se fomentaron nuevas formas de gobernar en armonía con los objetivos programáticos. El cambio de nomenclatura –de Obras Públicas a Urbanismo– no era una mera renovación semántica. Suponía que los proyectos e inversiones gestionados por la administración municipal, su gerencia, administración y evaluación, estarían en función de la ciudad como *proyecto en sí*. Es así como se define la misión del nuevo departamento: *El proyecto* [de ciudad] *pone especial énfasis en el rescate de los Centros Urbanos, el desarrollo balanceado y ordenado de la Ciudad, su reverdecimiento y la implantación de un ambicioso programa de obra pública destinada a sanar y equipar la ciudad, para hacer de ella una ciudad de primera.*[11]

Con relación a la infraestructura, la nueva administración dispuso la consolidación con el Departamento de Ambiente, en función de un concepto de calidad de vida. Esta nueva funcionalidad queda vinculada a otro concepto de gestión, el de mantenimiento. Con el énfasis en el mantenimiento se revertía la tendencia de sustituir las infraestructuras una vez cayeran en estado precario. En su lugar, la administración Calderón se propuso alargar la vida útil de las infraestructuras existentes mediante protocolos estrictos de mantenimiento y limpieza. Con ello se evitaban reemplazos costosos. En función de la coherencia administrativa, se realizan entonces decisivas modificaciones a los organigramas de las oficinas y dependencias municipales.

municipios autónomos

El marco de referencia de la Ley de Municipios Autónomos (1991) [12]

Son importantes las llamadas de atención de la administración Calderón en las ocasiones en que se intenta, por parte del gobierno central, disminuir las competencias y jurisdicciones de la Ley. Por otra parte, es evidente el interés de la administración Calderón de revalorar la *figura* del municipio, es decir, recuperar su prestigio como sede de gobierno frente a la merma sufrida a lo largo de todo el siglo 20 en todos los municipios frente a los gobiernos insulares.

Es sabido que el gobierno central había asumido en ese período una incisiva y limitante centralización, tanto en el plano fiscal como en el de las políticas públicas y en la dispensación de servicios a la ciudadanía. Mucho del protagonismo estructural que en la actualidad gozan los municipios se debe a la actuación de alcaldes como Sila María Calderón en San Juan, Ramón Luis Rivera en Bayamón, William Miranda Marín en Caguas, José Aponte en Carolina, Héctor O'Neill en Guaynabo, José Guillermo Rodríguez en Mayagüez y Rafael Cordero en Ponce, quienes durante la última década del siglo hicieron valer reivindicaciones de mayor autonomía municipal. Cada cual, con las diferencias que pueden estipularse, pero también con importantes sintonías, revaloraron el perímetro municipal desde un uso efectivo de la Ley de Municipios Autónomos.

legislatura municipal

La legislatura municipal

A pesar de que la figura de la Alcaldesa representaba un gran capital carismático y que en muchas ocasiones su voluntad ejecutiva aparecía como el elemento decisivo de su gestión, la administración Calderón, identifica el trabajo en equipo como un elemento que define el ejercicio de gobierno. Esta caracterización de la administración en colectivo se enlaza con las declaraciones sostenidas durante la campaña y luego ya en el gobierno de que se actuaría sin considerar líneas partidistas. Se aprecia el entrelazamiento de los discursos de trabajo colectivo y de superación de lindes partidistas en función de una *política limpia*. En la publicidad electoral se insiste en valores de gobierno colectivo y en equipo. Por ejemplo, el anuncio en la antesala de las elecciones enfatiza el rol de la Asamblea Municipal: *El cinco de noviembre vota íntegro por Sila y su Asamblea para una Alcaldía que funcione sin controversias políticas.*[13]

Precisamente, el rol activo que asume la figura de la asamblea municipal tanto en el mercadeo político como en la administración de la alcaldía es uno de esos elementos inesperados que presenta la alcaldía de Calderón. Para nadie es noticia que las asambleas o legislaturas municipales son entidades desconocidas tanto para los votantes en tiempos electorales como para los ciudadanos a lo largo del cuatrienio de gobierno. La tendencia de los gobiernos estatales y municipales es concentrar la campaña, y luego su administración, en la figura del alcalde o alcaldesa. Esto se puede explicar debido a varios factores, entre ellos la tradición centralista, nuestra historia constitucional, o por comportamientos y herencias arraigadas en tradiciones paternalistas. En la alcaldía del entresiglos, la Asamblea Municipal jugó un papel distinto.

Al lanzar su candidatura, Calderón tenía ante sí la experiencia del alcalde Héctor Luis Acevedo que había administrado la ciudad con una asamblea dominada por otro partido. Cuando radicó su candidatura para la alcaldía, Calderón planteó expresamente que necesitaba una asamblea afín para poder llevar a cabo la obra de gobierno. Los candidatos a asambleístas lograron presencia electoral en la publicidad, en las visitas a las comunidades y en las actividades de proselitismo importante. Como resultado, se logró un mandato absoluto en San Juan para el PPD en las elecciones de 1996.

Pero la composición de la Asamblea revela otra característica como advierte Carlos López Feliciano, que la presidió hasta 1999 cuando pasó a ser Comisionado Electoral a nivel estatal. Se conformó, según expresión del propio López Feliciano, una asamblea de manera científica, en busca de equilibrios por profesiones y peritajes, por sectores socio-económicos y por género.

Ramón Cantero Frau, que sucedió a López Feliciano como presidente de la Asamblea, coincide en que la pluralidad del cuerpo fue un factor clave en adelantar el proyecto municipal: *Daba mucho entusiasmo comparar ideas y recibir insumos de personas que venían de diferentes trasfondos, con distintas profesiones. Estaba un Eddie Underwood que entendía la ciudad espacialmente, Myrna Casas que imaginaba sus posibilidades estéticas, Rosa Bell Bayron, que venía del mundo legislativo como también nuestra secretaria Mara Serbiá. Había una eficacia en la tramitación de legislación que puede servir de ejemplo.*[14]

Cantero Frau plantea también que la administración municipal supo aprovechar el momento macroeconómico de bonanza que había en Estados Unidos y en el resto del mundo para acometer obras de envergadura como lo fueron las comunidades especiales y la transformación urbana.

La historiadora Ivonne Acosta Lespier recoge un siglo de historia de la asamblea municipal en su trabajo investigativo en ocasión de la celebración del milenio en San Juan.[15] En el período que nos ocupa (1997-2001), la autora destaca la presencia de las mujeres en la Asamblea (8 de 17 miembros), entre ellas Rosa Bell Bayron que fungió como vice-presidenta del cuerpo.

En calidad de ciudadanos-legisladores, los asambleístas se reunían a partir de las cuatro de la tarde, tres o cuatro veces por semana. Muchas veces se constituyeron en comisiones y realizaron visitas oculares a las comunidades. El estilo operativo del ejecutivo se trasladó a la asamblea, de ahí que se enfatizara en las legislaciones programáticas, es decir, aquellas que habilitaran los proyectos de ciudad, tal y como habían sido propuestos.

"DABA MUCHO ENTUSIASMO COMPARAR IDEAS Y RECIBIR INSUMOS DE PERSONAS QUE VENÍAN DE DIFERENTES TRASFONDOS..."

Sin embargo, las actas de las reuniones de la Asamblea Municipal muestran un grado considerable de autonomía en la discusión de los proyectos, especialmente en lo tocante a las asignaciones presupuestarias. De hecho, en el propio seno de la Asamblea se suscitó un debate sobre los alcances del poder de fiscalización de los asambleístas respecto a las acciones del ejecutivo municipal. La Asamblea determinó, en palabras del arquitecto Edward Underwood, que *nosotros tenemos una responsabilidad con quienes nos pusieron aquí: los electores*, a pesar de la lealtad hacia el programa de Calderón. Igualmente, se nota en las actas una participación menos antagónica de la usual por parte de las minorías en las discusiones y deliberaciones.

Participación ciudadana, Parada 27. Hato Rey, 1999

Archivo Fundación Sila M. Calderón

Para López Feliciano, el principal proyecto de la administración Calderón lo fue el de las Comunidades Especiales en el cual se combinaban reclamos de reivindicación social e infraestructural.[16] Otra pieza de envergadura apoyada por la Asamblea fueron la Ley de Incentivos Económicos que eximía al 100% de impuestos a aquella propiedad inmueble de nueva construcción dedicada a usos comerciales o residenciales que se ubicase en los cascos urbanos de Santurce, El Condado, Viejo San Juan y Río Piedras, por un espacio de diez años. A las propiedades existentes en esos mismos lugares cuyas renovaciones ascendiese a más del 30% de su valor en el mercado, se les eximía por siete años. De igual manera, se eximía del pago de patentes municipales por cinco años a los negocios que se establecieran en dichos cascos. Los centros urbanos, señaló Calderón, eran la punta de lanza para su propuesta de desarrollo económico de la capital.[17]

Mucha de la legislación aprobada por la Asamblea Municipal concernía a la cotidianidad de los ciudadanos, preocupados por el abasto de agua, el recogido de desperdicios, los deambulantes, el estacionamiento, los cierres de calles, etc. La Asamblea aprobó los Códigos de Orden Público para el Viejo San Juan (1997) y para Río Piedras (1999); respaldó los esfuerzos del municipio por detener la privatización del llamado Condado Trío (Centro de Convenciones, La Concha y el Condado Vanderbilt).

Las reglas de juego de comportamiento cívico en el espacio público se habían prácticamente olvidado tras décadas de privatización de las vidas y los espacios. Ante lo que percibían como dejadez de los ciudadanos, el municipio optó por una solución de orden lo que le valió críticas importantes de sectores que veían vulnerados algunos derechos pero que le ganó el favor de otros sectores que reclamaban paz en sus vecindarios. Otra legislación controvertible apoyada por la Asamblea culminó en la moratoria decretada sobre la construcción en el sector sur del municipio lo cual generó un litigio entre la Junta de Planificación y el municipio que duró de 1998 al 2000.[18]

La plataforma fiscal

En el informe para el año fiscal 1996-1997, el trabajo en equipo también se resalta en relación con las importantes y en algunos casos difíciles medidas tomadas en los primeros seis meses de gobierno. Las medidas a las que se refería la Alcaldesa concernían asuntos álgidos que impactaron el resto del cuatrienio.

Una decisión compleja fue el cierre definitivo del vertedero, la cual se había pospuesto innecesariamente debido a la escala del proyecto y a los costos involucrados. La disposición de los desperdicios sólidos en la Capital había constituido un dolor de cabeza municipal desde la época del antiguo crematorio erigido en los tiempos de la alcaldía de Doña Fela. En la década de los sesenta se pasó al mecanismo de relleno sanitario. Las capas enterradas de basura se acumularon hasta convertir el vertedero en una nueva cadena montañosa hecha por el hombre al sur de la bahía. A la altura del fin de siglo este espacio había cumplido su vida útil. El municipio decidió relocalizar su vertedero estableciendo una planta de trasbordo. Los *tres picachos* del antiguo vertedero se tornaron en un espacio verde y privilegiado, con vista a la ciudad y a la bahía.

Otra de las medidas difíciles fue la revisión de las tasas contributivas. Esta decisión se había postergado inútilmente por la presunción de un riesgo político que finalmente nunca se materializó. En cambio la medida posibilitó la puesta en marcha del programa de gobierno y desarrollo de la ciudad.

La fragilidad fiscal de los municipios puertorriqueños es una materia conocida en la administración local. En el periodo que nos ocupa, esta fragilidad se hizo aún más patente toda vez que con la llamada Ley de Municipios Autónomos de 1991 se requerían de los municipios nuevas competencias, pero aún no se les había dotado del poder fiscal correspondiente. Así, la revisión de las tasas contributivas sobre la propiedad fue una de las primeras gestiones iniciadas por el gobierno de Calderón.

Vista de Hato Rey desde el vertedero de la ciudad, 1999
Archivo Fundación Sila M. Calderón

Ya desde su gestión como director de campaña y luego como presidente del Comité de Transición, Irving Faccio había comenzado a trabajar en un plan amplio de revisión de los recursos fiscales con que contaría la administración de Calderón para emprender una obra ambiciosa. Su experiencia en asuntos municipales y su trabajo en el CRIM le permitieron generar un plan práctico y políticamente neutral.

Se trataba de un plan para maximizar ingresos municipales.[19] El mismo contenía unos acápites centrales: en primer lugar, el tema de la contribución sobre la propiedad que, a su vez, incluía las siguientes secciones: revocación de exoneraciones indebidas; identificación y tasación de propiedades sin tasar; cuentas por cobrar y propiedad mueble; en segundo lugar, las patentes municipales. En torno a ese asunto se intensificó la gestión de cobro; se actualizaron los requerimientos de radicación y se identificaron e investigaron inconsistencias y deficiencias en la adjudicación de responsabilidad contributiva. Con relación a los arbitrios de construcción, el plan ponía el acento en constatar la responsabilidad de pago y en crear un sistema de control para la emisión de los permisos. Un cuarto tema incidía en los fondos federales. El Plan contemplaba una evaluación rigurosa de los desembolsos de empréstitos y balances de cuentas para identificar reembolsos al Fondo General y deficiencias en la facturación de costos indirectos. Como parte del plan para maximizar los ingresos, el municipio también intervino en reclamaciones al gobierno central y en la venta de propiedad municipal para lo cual se negoció con el CRIM, se elaboró un mapa de valor de mercado y una estrategia para promover la venta de algunas de estas propiedades.

LA PIEZA ESENCIAL DE LA REVISIÓN FISCAL FUE LA MODIFICACIÓN DE LAS TASAS CONTRIBUTIVAS

Producto de un pleito incoado por la Administración de Héctor Luis Acevedo contra el Banco Gubernamental de Fomento, a inicios de 1997 el Municipio contaba con un sobrante de $22 millones que correspondía a dineros retenidos en exceso por concepto del Fondo de Redención de la Deuda Municipal.[20] Sin embargo, la adjudicación favorable a San Juan no era suficiente para emprender un programa de gobierno tan abarcador. Se precisaba una fuente de financiación recurrente. Luego de un examen de la situación legal y financiera del Municipio, se procedió a ajustar los niveles del CAE (Contribución Adicional Especial) lo que permitió aumentar el magen prestatario municipal de $45 millones a $250 millones.

La pieza esencial de la revisión fiscal fue la modificación de las tasas contributivas: *De los 78 municipios, San Juan se encuentra actualmente en la posición número 76 en sus tasas contributivas. En otras palabras, uno de los últimos tres municipios de Puerto Rico. La revisión que propongo situará a San Juan como el municipio #56 en sus tasas, todavía por debajo de ciudades como Guaynabo, Bayamón, Mayagüez, Carolina, Caguas y Ponce, cuyo progreso es evidente para todos. Estoy proponiendo que la tasa de la propiedad mueble se revise a 6.05% y de la propiedad inmueble a 8.05%* [21].

Como era patente, el valor inmobiliario en San Juan había crecido exponencialmente sin que hubiera estado acompañado de aumentos en la responsabilidad ciudadana. Hacía más de dos décadas que no se revisaban las tasas contributivas en el municipio. Sólo aumentando los ingresos podría el municipio ofrecer y mantener la dotación de servicios y la construcción de la obra pública requerida.

"El impacto de esta revisión será sufragado básicamente por los negocios de envergadura"

Revisión de tasas contributivas en San Juan

La medida busca aumentar los ingresos del municipio y su margen prestatario, para financiar parte de los compromisos que estableció la Alcaldesa en su programa de gobierno para San Juan.

La revisión en las tasas contributivas sobre la propiedad traería a las arcas municipales, $14 millones anuales. Esos ingresos recurrentes permitirían aumentar la capacidad crediticia de San Juan en el Banco Gubernamental de Fomento de $40 millones actualmente a $250 millones para el cuatrienio.

Revisión de tipos contributivos propiedad inmueble
(residencias habitadas por el dueño)

Valor tributable	Número de residencias	Por ciento de residencias (%)	Incremento anual
$15,000	49,970	69.7	0
$20,000	11,670	16.3	90
$30,000	7,757	10.8	269
$40,000	1,566	2.2	448
$50,000	453	0.6	627
$60,000	172	0.2	806
$80,000	91	0.1	1,164
$100,000	34	0.0	1,522

Fuente: CRIM

Nota: Las contribuciones sobre la propiedad mueble aumentarán de 4.26% anual a 6.05 %. Mientras tanto, los imposiciones tributarias sobre la propiedad inmueble aumentarán de 6.26 % a 8.05 %.

Fuente: Municipio de San Juan

Gráfica: El Nuevo Día

Con la garantía de nuevas tasas contributivas sobre la propiedad mueble e inmueble, además de un aumento en el ingreso de las patentes, y tras las esperadas controversias y pulseos, el gobierno municipal aprobó el presupuesto más alto hasta ese momento. Ello fue posible tras el aumento en el margen prestatario garantizado por los nuevos ingresos.

El anuncio de la nueva alza en los impuestos de la propiedad que iría destinado a financiar las obras del municipio se hizo en la primera mitad del mes de marzo de 1997. El periódico *El Nuevo Día* reseñó la propuesta y señaló que la administración Calderón sometió a la Asamblea Municipal para su aprobación un alza del 4.26 al 6.05% en las tasas de la propiedad mueble y desde un 6.26% al 8.05% en las propiedades inmuebles. En el gráfico incluido en el periódico se dice textualmente: *La revisión en las tasas contributivas sobre la propiedad traería a las arcas municipales, $14 millones anuales. Esos ingresos recurrentes permitirían aumentar la capacidad crediticia de San Juan en el Banco Gubernamental de Fomento de $40 millones actualmente a $250 millones para el cuatrienio.*[22]

Con la aprobación de los aumentos de las contribuciones sobre la propiedad (excepto en los centros urbanos de Río Piedras, el Viejo San Juan, Santurce y El Condado) y el consecuente aumento en los márgenes crediticios, la administración municipal se aseguraba los recursos que capacitarían a la ciudad emprender las obras públicas esperadas. El primer presupuesto municipal de la administración Calderón se tituló *Haciendo Ciudad, Sembrando Futuro* y se anunció dos meses después.[23] El periódico *El Nuevo Día* reseñó la noticia y señala que el presupuesto fue de $511 millones para el año fiscal 1997-1998. Ese presupuesto incluyó un aumento significativo en ingresos lo que equivalía a un 42% o el total de $152 millones adicionales al del año anterior: *El aumento en ingresos proviene del incremento de $26 millones de fondos recurrentes debido a la revisión de las tasas contributivas, el alza en la capacidad prestataria del municipio que ese incremento en la contribución sobre la propiedad genera y de aumentos en los fondos federales y la consolidación de otros.*[24]

El Municipio de San Juan gozó de sobrantes presupuestarios en 1997 (12 millones), 1998 (6 millones) y 1999 (1.6 millones) que se destinaron a obra programática no recurrente. Ya para el 2000, no hubo sobrantes disponibles debido al controvertido esquema de financiación de la tarjeta de la Reforma de Salud impuesto por el gobierno central.

SE HIZO HINCAPIÉ EN LA INVERSIÓN DESTINADA A MEJORAS EN LAS COMUNIDADES DE ESCASOS RECURSOS

Junto con el anuncio del nuevo presupuesto se hizo hincapié en la inversión destinada a mejoras en las comunidades de escasos recursos. En el mensaje del 14 de marzo de 1997, la Alcaldesa las identifica: en el área de salud a la rehabilitación del Hospital Municipal, la Clínica Antillas y a la construcción del nuevo dispensario de Cupey y en el área de seguridad a la reubicación de la comandancia municipal en San Juan, más equipos, cuarteles rodantes y aumentos a la policía. Se vinculaba también el aumento en la capacidad financiera del municipio a la renovación y rediseño de los espacios públicos y al inicio del programa de reverdecimiento en los ejes principales del centro de la ciudad. Un presupuesto más holgado y una legislación contributiva que permitía una solución de continuidad al reclamo incesante de fondos recurrentes, constituyó el soporte fiscal indispensable para trabajar el proyecto de ciudad en el entresiglos.

agilidad y eficiencia

Agilidad y eficiencia del municipio frente a las estructuras estatales

Una ciudad de primera como aspiración vinculada al tránsito del milenio precisaba de una revaloración de la capacidad administrativa del gobierno municipal en áreas estratégicas, tales como Salud y Ordenamiento Territorial. Ambos temas presentaban situaciones conflictivas con el nivel central.

En el caso de Salud, el gobierno municipal difería de las políticas de la Reforma de Salud implantadas en el cuatrienio anterior por el gobierno central, en varios aspectos. El más controvertido era la lógica de privatización de las facilidades hospitalarias y el desmantelamiento del sistema de salud pública existente. Desde un comienzo, la administración Calderón planteó que no era incompatible la prestación de servicios bajo la Reforma y el mantenimiento de las instalaciones de salud municipales. De hecho, se procedió a modernizar los equipos y los protocolos de servicio médico-hospitalarios en los nueve Centros de Diagnóstico y Tratamiento con inversiones importantes que se mantuvieron abiertos y se construyó uno nuevo que serviría al área de Cupey y Caimito.

Hospital Municipal Río Piedras y el Centro de Diagnóstico y Tratamiento Hoare, rehabilitados. 2000

Archivo Fundación Sila M. Calderón

En el caso del Ordenamiento Territorial, la gestión se vio mediada por diferencias graves de opinión con la Junta de Planificación. Dos asuntos dominaron la escena: por un lado, el reclamo del municipio de adoptar las competencias urbanísticas mediante la aprobación del Plan de Ordenación Territorial de San Juan. La Junta de Planificación no aprobó más allá de los planes de avances. Por el otro, y como corolario del proyecto de ordenación, la necesidad de detener la ocupación indiscriminada del suelo con construcciones expansivas en el municipio, sobre todo en su área sur, requirió de la declaración de una moratoria que chocaba con las tendencias hasta ese momento de la Junta.

Tanto la medida de modernización de las facilidades públicas de salud como la de decretar la moratoria de construcción ejemplifican una visión distinta de conservación o defensa del patrimonio de la ciudad.

La persona federal de la alcaldesa

La administración de los fondos federales que llegaban a San Juan había sido desde la alcaldía de Carlos Romero Barceló el eje sobre el cual giraba el tema de las relaciones entre la esfera municipal y la esfera federal. Una de las primeras acciones tomadas por la administración de Calderón fue denominar la oficina correspondiente como Oficina de Asuntos Federales. El cambio no era meramente cosmético. Tenía que ver más que con un aumento en los fondos agenciados con una modificación en la manera en que se significaban los fondos, es decir, su vinculación programática. Los fondos federales tenían en el imaginario gubernamental puertorriqueño el estatuto de un gigantesco barril de tocino. Como tal, lo que importaba era presentar cuotas mayores de las asignaciones destinadas a Puerto Rico o en este caso al municipio sin que importara tanto su uso programático. En muchas ocasiones, los fondos antecedían a su asignación de uso que era por lo tanto improvisada y desvinculada del programa de desarrollo municipal.

No es que se abandonara la búsqueda de financiación federal en bloque o a proyectos particulares, sino que se revisó el concepto mismo de la financiación para que se adecuase a la programación de gobierno de la ciudad. Por principio de cuentas, se intensificaría la participación de San Juan en propuestas competitivas que por su propia naturaleza requerían de identificación precisa y sistematizada de su propósito. Dos ejemplos de este desplazamiento –según lo indica Roberto Prats, encargado de la Oficina de Asuntos Federales– fueron los proyectos de vivienda para deambulantes en coordinación con el Secretario de Vivienda Federal, Andrew Cuomo y el proyecto C.O.P.S. destinado a aumentar de 500 a 1000 los efectivos policíacos municipales. En el caso de la financiación para la Policía, el gobierno federal pagaba el 75% de los salarios de los policías destacados en comunidades previamente seleccionadas. Según el propio Prats, el objetivo prestablecido de contar con 1000 policías municipales se logró en dos años.[25]

World Competitive Cities Congress, Washington D.C., 2000

Archivo Fundación Sila M. Calderón

El otro objetivo principal de la Oficina de Asuntos Federales fue articular una *personalidad pública federal* para la Alcaldesa a tono con sus perspectivas programáticas para la ciudad. Calderón se integró al U.S.Conference of Mayors donde estableció buenas relaciones con alcaldes de las grandes ciudades de Estados Unidos. También se ampliaron las relaciones internacionales de la ciudad con sus homólogos en México, Estados Unidos y España en torno a temáticas municipales comunes.

El municipio como el nivel más cercano al ciudadano

El año terrible de 1998 deparó al País y al municipio de San Juan, en especial, golpes dramáticos a su tranquilidad pública y al bienestar de sus ciudadanos: el huracán Georges, el fuego en la Plaza del Mercado de Río Piedras (que aún sufría por los efectos de la explosión en las tuberías de gas de 1996), las devastadoras inundaciones en el sector Tortugo [26], la epidemia de dengue, la huelga de la Telefónica, pusieron a prueba a la ciudad en momentos en que se exarcebaban las pasiones políticas por la crisis de Vieques, y la consulta plebiscitaria en la que triunfó la fórmula Ninguna de las Anteriores. La serie de eventos evidenció la capacidad del municipio para responder a los ciudadanos con un mayor nivel de cercanía y eficiencia. En el Informe Anual correspondiente a ese año se enumeran las importantes lecciones derivadas del más grave de todos: el huracán Georges:

a. Son los municipios las entidades con las mayores responsabilidades para la preparación previa y la recuperación de la ciudadanía y sus propiedades.

b. La ayuda federal no debe ser la primera ayuda de la que dependan los ciudadanos.

c. El huracán destapa los bolsillos persistentes de pobreza pero también la manipulación de las ayudas con fines políticos.

d. El apoyo a los municipios por parte del gobierno central resultó ineficiente e inadecuado.

e. La solidez fiscal del municipio de San Juan permitió enfrentar la dislocación presupuestaria causada por el huracán aunque no fue éste el caso de otros municipios.

f. La recuperación en San Juan utilizó al máximo formas de gobernar y gestionar servicios al ciudadano que ya estaban en práctica por lo que no hubo grandes improvisaciones.

g. Las instalaciones de salud en San Juan respondieron más adecuadamente a la emergencia que las instalaciones privatizadas en otros municipios.

h. Se vio cómo las políticas y programas de mantenimiento evitaron el colapso de la infraestructura. [27]

Dolorosa como fue la experiencia del huracán, nos presenta un escenario en el que se pueden evaluar los modelos y prácticas de gestión adoptados por la Administración Municipal desde el año anterior. Cabe señalar que Georges demandó la reasignación de prioridades en los presupuestos, confirmando la opinión de la planificadora urbana Jane Jacobs que inicia este capítulo y que ubica un lugar importante a los imponderables en la vida de una ciudad.

gestión gerencial

Modelos participativos en la gestión gerencial

Limpieza y reconstrucción tras huracán Georges, 1998

Seminario a empleados del Municipio, 1998

Archivo Fundación Sila M. Calderón

En los informes de gobierno y en declaraciones públicas, la administración Calderón reiteraba que la gerencia y la participación eran indisociables. En consecuencia, se definía al buen gerente como aquél que sabe escuchar. Por supuesto, había dos consideraciones ineludibles: *Nada de esto implicaba que se fuera a claudicar la responsabilidad de decidir el curso de acción que se considerara más correcto.*[28] Es decir, integrar la voz de la ciudadanía era parte del arte de gobernar pero no relevaba de responsabilidad gerencial.

La segunda consideración comportaba otra responsabilidad gerencial: la de entender para poder persuadir. Era obvio que si el entendimiento de la gestión no percolaba a todos los niveles de la administración se perjudicaba la comunicación y, por ende, la participación ciudadana. De ahí el llamado frecuente a los gerentes municipales y a los empleados administrativos a sintonizarse con la noción de que la participación ciudadana era parte integral de la gerencia municipal.

Vinculado a este principio estuvo la atención a los protocolos de servicio y cortesía, los uniformes de los empleados municipales y la modernización de los equipos, entre otros instrumentos para alcanzar una gestión profesionalizada y de respeto hacia el ciudadano.

Otro de los renglones en el cual se advierten modificaciones sustantivas en los modelos de gestión es en el de los servicios directos: *Se gobierna bien cuando el ciudadano es parte de las soluciones, cuando se dialoga y se respeta.*[29] Se pretendía destrabar los atascos tradicionales en el aparato burocrático y dirigir los esfuerzos a una prestación más expedita y de calidad.

Entre las iniciativas de servicio directo más importantes se encuentran la creación de Centros de Gestión Única para agilizar los trámites que antes se encontraban dispersos, situación que conllevaba gastos y pérdida de tiempo para el ciudadano. El de Puerto Nuevo fue un centro piloto que rindió frutos importantes en términos de permisología, que es siempre uno de los frenos a una otorgación efectiva de servicios tanto a consumidores como a inversionistas y empresarios. En la misma línea se hallan las Oficinas de Servicio al Ciudadano que se establecieron en los cuatro centros urbanos de la ciudad.

Las nociones contemporáneas de gobierno y servicio apuntan al rubro de la información como uno de los elementos claves para lograr la satisfacción ciudadana. No en balde el mundo se encuentra en tránsito acelerado hacia un modelo de sociedad basado en la información. Las formas de gobernar actualizadas dependen del mantenimiento de información y de enlaces adecuados con la ciudadanía. El municipio modernizó su página electrónica aunque en este renglón había un rezago sustancial que era necesario superar con respecto a las ciudades europeas, norteamericanas y muchas ciudades latinoamericanas. Gobernar electrónicamente era – y es aún- una asignatura pendiente de la que estaba consciente la administración Calderón pero en la cual no se dio la transformación radical requerida. Mucho de ello tuvo que ver con los bajos niveles de literacia informática que todavía aquejaba al país en el entresiglos. Esa brecha digital también atribulaba en general a los poderes públicos que no habían asignado los fondos ni las prioridades a la creación de buenas plataformas electrónicas de información y servicio.

LA ALCALDÍA ABIERTA VALIDÓ TAMBIÉN EL PRINCIPIO...
DE QUE EL ÉXITO DE UNA GESTIÓN DE GOBIERNO SE MEDÍA POR EL
IMPACTO EN LA VIDA COTIDIANA DE LOS CIUDADANOS.

Los elementos ya probados de contacto con el ciudadano y modalidades más contemporáneas de evaluar las peticiones, asignar responsabilidades, dar seguimiento y evaluar la gestión se evidenciaron de forma más directa en el concepto y operación de la Alcaldía Abierta. Siguiendo la tradición de la administración municipal de Felisa Rincón de Gautier, se estableció el concepto de Alcaldía Abierta mediante el cual los ciudadanos tenían acceso primario, con sus reclamos y recomendaciones, a la Alcaldesa. Pero, a la misma vez, hizo intervenir en el proceso la presencia directa del *gabinete* del gobierno municipal. Si bien Calderón figuraba como el *oído* principal, el éxito de las sesiones de Alcaldía Abierta dependía de la coordinación efectiva entre diferentes dependencias.

La práctica no sólo logró la resolución de numerosos casos de necesidad social sino que también permitía que los funcionarios del municipio mantuvieran el oído en tierra en relación con los problemas que inciden en vivir en una ciudad contemporánea. La Alcaldía Abierta validó también el principio, muchas veces expresado en los informes de gobierno municipal, de que el éxito de una gestión de gobierno se medía por el impacto en la vida cotidiana de los ciudadanos. Si bien no deja de identificarse un fuerte acento político en esta forma de gobernar, la Alcaldía Abierta integraba nociones de reconocimiento y empatía personal que mitigan el natural anonimato y estandarización que caracterizan lo social en estos tiempos.

Alcaldesa Felisa Rincón recibe al público en la alcaldía, c1950
Alcaldía Abierta, Cupey Alto, Centro de Servicios Múltiples, 1998
Archivo Fundación Sila M. Calderón

El municipio adaptó modelos de calidad organizacional diseñados inicialmente para la industria como herramienta básica de retroalimentación a los programas de gobierno. Algunos departamentos claves elaboraron esquemas de evaluación con indicadores y estándares de calidad cuantificables. Para 1999-2000, se encontraban en operación seis proyectos de mejoramiento de procesos en calidad y tiempo con los cuales se modificaba la prestación de servicios en función de los resultados de la evaluación de su desempeño. Las áreas impactadas por esta medida fueron Salud, Vivienda, Desarrollo Infantil, Desarrollo Social, la Oficina de la Mujer y Desperdicios Sólidos.

Durante el periodo de fin de siglo 20 el municipio hizo un esfuerzo considerable por reconvertir el gobierno municipal para mejorar su eficacia y el liderazgo. En muchos renglones, logró mejorar la imagen operativa del gobierno local respecto a la imagen del gobierno central. Se puede argumentar con razonabilidad que los llamados a la reingeniería gubernamental que se enunciaron con frecuencia en la época como respuesta a una postergada reforma administrativa muestran mayores resultados a nivel de municipio. Esto es particularmente evidente en lo tocante a la programación presupuestaria. Funcionarios como Melba Acosta y Ángel Blanco, quien asumió la vice-alcaldía en 1999, dirigieron esfuerzos de modernizar el acopio, manejo y aplicación de información estadística computarizada en función de un programa de servicios e inversiones municipales.

El grado mayor de efectividad gubernamental puede adscribirse a una intencionalidad programática que obligó a que las formas de gobernar respondieran a metas específicas, identificadas ya desde la campaña y cuyos indicadores eran sujeto de evaluación. Se trata de "diez propuestas para San Juan" [página siguiente] que se presentaron como programa de gobierno durante la campaña y luego como guía de gestión bajo el lema de San Juan, Ciudad de Primera.

la mística

El tema de la mística

La efectividad y actualidad de ciertas formas de gobernar adoptadas por la administración Calderón le deben mucho a la incorporación de teorías y metodologías de administración que emergieron durante los años 80 del siglo 20. Sin embargo, es importante acotar que la literatura sobre reinvenciones gubernamentales que llenaron estantes de librerías no constituyó una panacea. En muchos casos las fórmulas mercadeadas se convirtieron en consignas que se adhirieron de manera inocua a viejos sistemas administrativos y de liderato. En términos generales, el período estudiado revela cierta inclinación a integrar en la administración municipal algunas de las soluciones que circulaban internacionalmente, en particular en Estados Unidos e Inglaterra, pero con mayores dosis de prudencia que otras instancias públicas en Puerto Rico que abrazaron como credo las convocatorias de tábula rasa del neoliberalismo.

10 DIEZ PROPUESTAS PARA SAN JUAN

Una alcaldía que funcione en equipo
con la Asamblea Municipal.

Primera prioridad a comunidades
y barriadas de escasos recursos.

Servicios preventivos y tarjeta de salud.

Seguridad para nuestras calles, urbanizaciones
y parques: mil guardias municipales.

Rescate de los centros urbanos: Viejo San Juan,
Santurce, Río Piedras Centro y El Condado.

Una ciudad que brille por su limpieza impecable.

Fortaleza económica y proyección internacional.

Familia sana y vitalidad en recreación y deportes.

Capital de cultura y afirmación puertorriqueña.

Gobierno para todos, de consenso y no politizado.[30]

San Juan, Ciudad de Primera
Proyecto de Acción Municipal, 1997-2000

José Nadal, Melba Acosta, Carlos Dalmau, Sila M. Calderón y Juan Vaquer

Quizás uno de los factores que intervino para moderar la *novelería* neoliberal fue la composición de dicha administración que logró aunar funcionarios de carrera y personas del mundo privado; jóvenes que se iniciaban en la política con veteranos de lides gubernamentales. Como norma, los jefes de departamento eran personas con mayor experiencia. Los asesores, muchos de ellos recién salidos de universidades o con experiencia reciente en el gobierno de Hernández Colón, completaban el cuadro con una gran voluntad de cambio.

Melba Acosta, Juan Vaquer, Roberto Prats, Jorge Rivera, Juan José Rodríguez, Rafael Calderón, Víctor Rivera, Eduardo Rivero, Michelle Sugden, José Nadal, Ramón Kury y David Rivé, entre otros, conforman una nueva generación de servidores públicos y operadores políticos motivados por lo que entendían, era un déficit de ideales tanto en la administración pública como al interior del Partido Popular Democrático. Algunas personas hablan de *los treinta* para referirse a esta generación, dos décadas después de la aparición de *los 22* [31], otro grupo de jóvenes en su mayoría que intentó sacudir la modorra que parecía haberse apoderado de la actividad política en Puerto Rico. En todo caso, muchos de ellos hablan de una generación soñadora, que no conocía de horarios y que estaba empeñada en modificar la manera de hacer política y administrar lo público en el País.

El caso de Melba Acosta puede verse como un ejemplo de cómo las formas de gobernar experimentadas en la administración Calderón fueron instrumentadas no sólo por nuevas ideas y métodos sino también por una voluntad de experimentación. Lo importante, recuerda Acosta, es que el gobierno *se moviera*.[32] Si la organización no respondía al programa, tenía que adaptarse. Si no existía el programa, se inventaba.

Víctor Rivera apunta a la frustración y sentido de orfandad que le embargó con la derrota del PPD en 1992. Cuando advino la campaña de Calderón sintió como un emplazamiento que lo llevó a integrarse al equipo de gobierno. Para Rivera, las propuestas para gobernar a San Juan estaban animadas por un profundo cariño y respeto a la ciudad que él compartía. Las largas horas, los turnos de fin de semana, la obligación de conocer lo administrativo para poder asesorar, no se volvieron frenos para los reclutas en el nuevo gobierno municipal precisamente porque hubo una revalorización de lo público y del servicio.[33]

Por su parte, Juan Vaquer acentúa que las formas novedosas de gestionar el municipio provienen en gran medida de que Calderón se consideró siempre un *outsider*, es decir, no se veía como parte de una maquinaria a quien le debía su lealtad primaria. La ciudad era su norte. Le dolía mucho ver la ciudad con cansancio físico y por eso su énfasis temprano en la limpieza, el ornato y el orden. Recalca en que desde el comienzo de la campaña fue a marchas forzadas porque Calderón se empeñó en recorrer las comunidades y palpar de primera mano sus carencias. Desde ahí las formas de gobernar la ciudad estuvieron matizadas por esa disposición de cercanía. Para Vaquer las diez propuestas para San Juan que constituyeron la plataforma de Calderón como candidata a la alcaldía es el mejor programa para atender una ciudad puertorriqueña que se haya generado en el país, incluyendo el hecho importante de que esas mismas promesas se convirtieron en las áreas programáticas durante el cuatrienio.[34] Una solución de continuidad que no siempre se da en las gestiones públicas, que era fácil de entender y coherente.

La consistencia programática se puso a prueba en el momento en que Calderón decidió aspirar a la gobernación. En 1999, la alcaldesa llamó a Ángel Blanco Botey para que ocupara la vice-alcaldía puesto que nunca se había ocupado. El contador público de formación había trabajado en la banca por 28 años y luego de su retiro había encabezado la recuperación del hipódromo El Comandante tras la debacle del huracán Georges. Para Blanco, el rescate de la ciudad que había iniciado la administración de Calderón destacaba por la cohesión entre las metas, los procedimientos y las estructuras. De ahí que no le fuera difícil continuar con los múltiples proyectos que se habían encaminado en la ciudad.

Hasta se mudó al Viejo San Juan, un lugar que había ganado en habitabilidad y belleza, según Blanco. Fueron dos años de mucha satisfacción profesional, asegura, *son de esas cosas que no se pueden hacer por dinero, sino por el gusto y la vocación de servir.* [35]

Todos los asesores entrevistados convergen en esta opinión de Roberto Prats: *Nunca trabajé de forma tan intensa como durante esos años en la Alcaldía, ni tan anónimamente.* [36]

En un país donde la administración pública se personifica y mediatiza a tan alto grado, el equipo que acompañó a Calderón durante el cuatrienio prefirió viabilizar un programa que consideraban único y unas formas de gobernar que se apuntaban en dirección distinta a los patrones ya agotados de gestión.

Era San Juan, sus espacios y sus ocupantes, la que movilizó unas respuestas nuevas a viejos y nuevos problemas de vivir en ciudad. Menos abstracta que el país, potenció una mayor creatividad y disciplina en las formas de gobernarla.

Capítulo 3

EL REGRESO A LA CIUDAD
la valoración del espacio urbano

Grabado de Nick Quijano. Publicado por el Municipio de San Juan en el portafolio Ciudad Infinita, *2000*

Los objetivos que definen la ciudad deseada en la mayoría de las ciudades del planeta y las políticas públicas sobre urbanismo muestran tendencias similares en el cambio del milenio; tienen que ver con hacer compatibles el crecimiento económico de la ciudad y los índices de convivencia, mantener un equilibrio territorial entre los espacios construidos y abiertos, garantizar la igualdad social y conservar la calidad del medioambiente. Congregados en torno a un listado de criterios de deseabilidad urbana, un distinguido conjunto de urbanistas internacionales elaboró en 1999 una declaración de principios conocida como *Carta del Nuevo Urbanismo* que proponía *el regreso a la ciudad* como *locus* social primario. Algunas de sus proposiciones más importantes rezan así:

El Congreso para Nuevo Urbanismo visualiza la falta de inversión en las ciudades centrales, el avance de la expansión urbana descontrolada, la cada vez mayor separación por raza e ingreso, el deterioro ambiental, la pérdida de tierras agrícolas y silvestres, y la erosión del patrimonio edificado de la sociedad como un desafío interelacionado para la creación de comunidades.

NOS IDENTIFICAMOS con la restauración de las ciudades y los centros urbanos existentes dentro de regiones metropolitanas coherentes, la reconfiguración de barrios periféricos de crecimiento descontrolado a comunidades de verdaderos vecindarios de comunas diversas, la preservación de los entornos naturales, y la conservación de nuestro legado arquitectónico.

RECONOCEMOS que las soluciones físicas por sí solas no resolverán problemas sociales y económicos pero tampoco puede sostenerese una economía saludable, una estabilidad comunitaria, y un medio ambiente natural sin el respaldo de un marco físico coherente.

ABOGAMOS por la reestructuración de la política pública y las prácticas de desarrollo para respaldar los siguientes principios: los vecindarios deben tener diversidad en uso y población, las comunidades deben estar diseñadas tanto para el tránsito del peatón y el transporte público, así como para el automovíl; las ciudades y pueblos deben estar formados por espacios públicos e instituciones comunitarias bien definidas y universalmente accesibles; los lugares urbanos deben estar rodeados de arquitectura y diseño de paisajes que realcen la historia local, el clima, la ecología, y las prácticas de construcción.

REPRESENTAMOS una amplia base de ciudadanos, compuesta por líderes del sector público y privado, activistas comunitarios y profesionales multidisciplinarios. Estamos comprometidos a restablecer la relación entre el arte de construir y el hacer de la comunidad, a través de la planificación y diseño participativo y con base en los ciudadanos".[37]

El municipio de San Juan concibió esa ciudad deseada asumiendo aspiraciones similares. Como en muchas otras latitudes, era obvio que la capital puertorriqueña presentaba mermas importantes en calidad de vida, paisajismo, orden en los criterios de edificación y múltiples impactos negativos. Sin que necesariamente hubiese un acuerdo entre los muchos actores que componían el tejido de la ciudad, la ciudadanía sanjuanera percibía estas carencias.

Para el desarrollo de San Juan, regresar a la ciudad constituyó un importante paso cualitativo. No se trataba ya meramente de sumar espacios urbanos sino de atender con cierto esmero los existentes y refuncionalizar aquéllos que hubiesen perdido actualidad. Para ello, se requerían enfoques novedosos y estructuras organizativas más ágiles y atemperadas a las nuevas realidades. Un primer paso consistió en una modificación de las actitudes con respecto a la ciudad. La ciudad no podía continuar como lugar marginal, remanente, donde no ocurría nada sustancial en la vida urbana excepto la congestión y el crimen en la mente de sus ciudadanos. Había que recuperar viejos sentidos positivos de la vida en ciudad y construir nuevos sentidos de futuro urbano. Pero un cambio de mentalidad no bastaba. Se requería de modelos teóricos y de acción para dotar al cambio de actitudes de condiciones de posibilidad conceptual y práctica.

Se creó entonces un espacio propio de conceptualización y gestión del urbanismo municipal. El nuevo Departamento de Urbanismo fue dotado de un cuerpo profesional y de un equipo tecnológico de última generación, con una visión de lugar y de mundo renovada. Dicho espacio, que fungió también como una plataforma para jóvenes profesionales en la teoría y práctica del urbanismo, se apartó de la costumbre del resto de los municipios de descansar exclusivamente en contrataciones externas para gestionar su planificación urbana. Este hecho prodigó a los planes y proyectos urbanos llevados a cabo en el cuatrienio 1997-2001 un carácter más integrado, más comprometido con la filosofía general que adoptó la municipalidad.

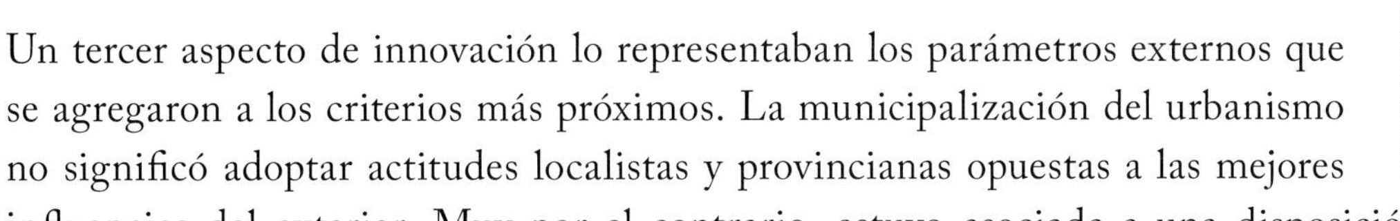

En segundo lugar, el *regreso a la ciudad* tuvo un impacto notable en las maneras de gobernar la ciudad. El urbanismo como prioridad programática y administrativa potenció una mayor coherencia entre las diferentes áreas de acción municipal como lo eran las comunidades especiales, la revitalización cultural y recreativa, la limpieza de la ciudad, la seguridad pública, etc. Se trataba de lograr un mayor nivel de interrelación y redundancia más allá de los organigramas existentes.

Un tercer aspecto de innovación lo representaban los parámetros externos que se agregaron a los criterios más próximos. La municipalización del urbanismo no significó adoptar actitudes localistas y provincianas opuestas a las mejores influencias del exterior. Muy por el contrario, estuvo asociada a una disposición de abrir a Puerto Rico y, en particular a San Juan, a las más reputadas influencias internacionales, más allá de los acostumbrados modelos urbanos provenientes de Estados Unidos.

Si estábamos ya sin lugar a dudas en un mundo global, se requería buscar modelos e ideas exitosas que combinaran adecuadamente lo local y lo global.[38] Afortunadamente, había donde buscar. Se cuajaban fuera del País, enfoques y modelos alternos y adaptables a realidades urbanas como la nuestra que podían servir de parámetros deseables. Esos modelos exhibían como principios rectores: la utilización del transporte colectivo local y regional como vertebrador de la ciudad; prioridad de la accesibilidad en lugar de la movilidad que se basa en la velocidad y en el privilegio de los vehículos individuales; revitalización de los centros desde el imperativo de una mayor densificación y del valor de los centros como lugares con heterogeneidad de usos; énfasis en el ambiente natural como uno de los elementos indispensables para la calidad de vida; inversiones estratégicas para generar lugares de nueva centralidad en espacios ya construidos; focalización de la mirada en comunidades en lugar del espacio más abstracto de la zona metropolitana o urbana en cuestión; humanización de las escalas a intervenir; espacios y rutas caminables; y la capacitación de capital humano, es decir, de gestores de lo urbano, sintonizados con el nuevo paradigma. La mirada del Departamento de Urbanismo se nutrió de las competencias y experiencias de profesionales de lugares como Barcelona, ciudad global, centro metropolitano y regional, que ha emprendido en las últimas décadas uno de los más complejos e innovadores procesos de revitalización urbana a nivel mundial.[39]

Demolición de edificio en el Viejo San Juan, 2000

Limpieza en Reparto Metropolitano, 1999

Archivo Fundación Sila M. Calderón

Con el sugestivo nombre de Proyecto de Ciudad, este plano puede ser una síntesis de la ciudad deseada esbozada en el Plan de Ordenación Territorial. Visto solo en dos dimensiones, la ciudad a que se aspiraba definía tres grandes categorías de espacios: los destinados a la conservación, los llamados a ser objeto de transformación/redesarrollo, y los terrenos que requieren revitalización/rehabilitación. Para cada una de esas categorías se establecían en el plan políticas y modelos de gestión enfocados a cambiar profundamente las actitudes desde y hacia la ciudad.

Marcados en verde, y encabezando la leyenda, se designan los espacios destinados a la conservación. Casi todos ellos estaban acotados por el recurso agua. A grandes rasgos, esta categoría incluía varios sub-sectores hilvanados entre si por cuerpos de agua o por el trazado vial estratégico de la ciudad. Se trata de corredores o servidumbres verdes destinados a la conservación como garantes de los recursos naturales del territorio.

Un amplio sector se ubica al sur donde la topografía, y sobre todo la orografía, determinan usos más acordes con la conservación del recurso agua.

Un segundo corredor está formado por el bosque urbano y las riberas del río Piedras, eje fluvial que vertebra el territorio municipal, pero que permanece ignorado como recurso urbanístico. En este segmento también se incluye el Bosque de San Patricio, intersticio recuperado por la naturaleza y reclamado por la comunidad.

Las márgenes del caño de Martín Peña y por supuesto el litoral del océano son orillas urbanas que hay que recuperar para la ciudad.

Finalmente, los terrenos del antiguo vertedero, verdaderos picachos frente a la bahía, se recuperaban como espacios verdes para usos lúdicos y de conservación.

La segunda categoría, ilustrada en color naranja, contenía los espacios susceptibles a transformación/redesarrollo. Se consideraba esta categoría como las grandes oportunidades para la ciudad. Algunos de estos espacios eran grandes porciones de terreno en el sur de Puerta de Tierra, toda Isla Grande, el Frente Portuario del sur de la Bahía, el llamado Nuevo Centro de San Juan, el sector de Cantera y otros terrenos alineados a lo largo de vías importantes como la Avenida Iturregui, la PR1, o la alineación del Tren Urbano hacia Bayamón.

Una tercera categoría de espacios fue identificada para revitalización/rehabilitación. Se trataba de espacios muy céntricos (antiguos cascos históricos) y en intersecciones estratégicas y los entornos de las estaciones del Tren Urbano. Entre todos se destacan los terrenos en la Isleta y Santurce, centro de toda el área metropolitana. Allí se identifican corredores de revitalización norte-sur. En la colindancia con Guaynabo se identifica el sector de San Patricio y en la colindancia con Carolina, El Escorial.

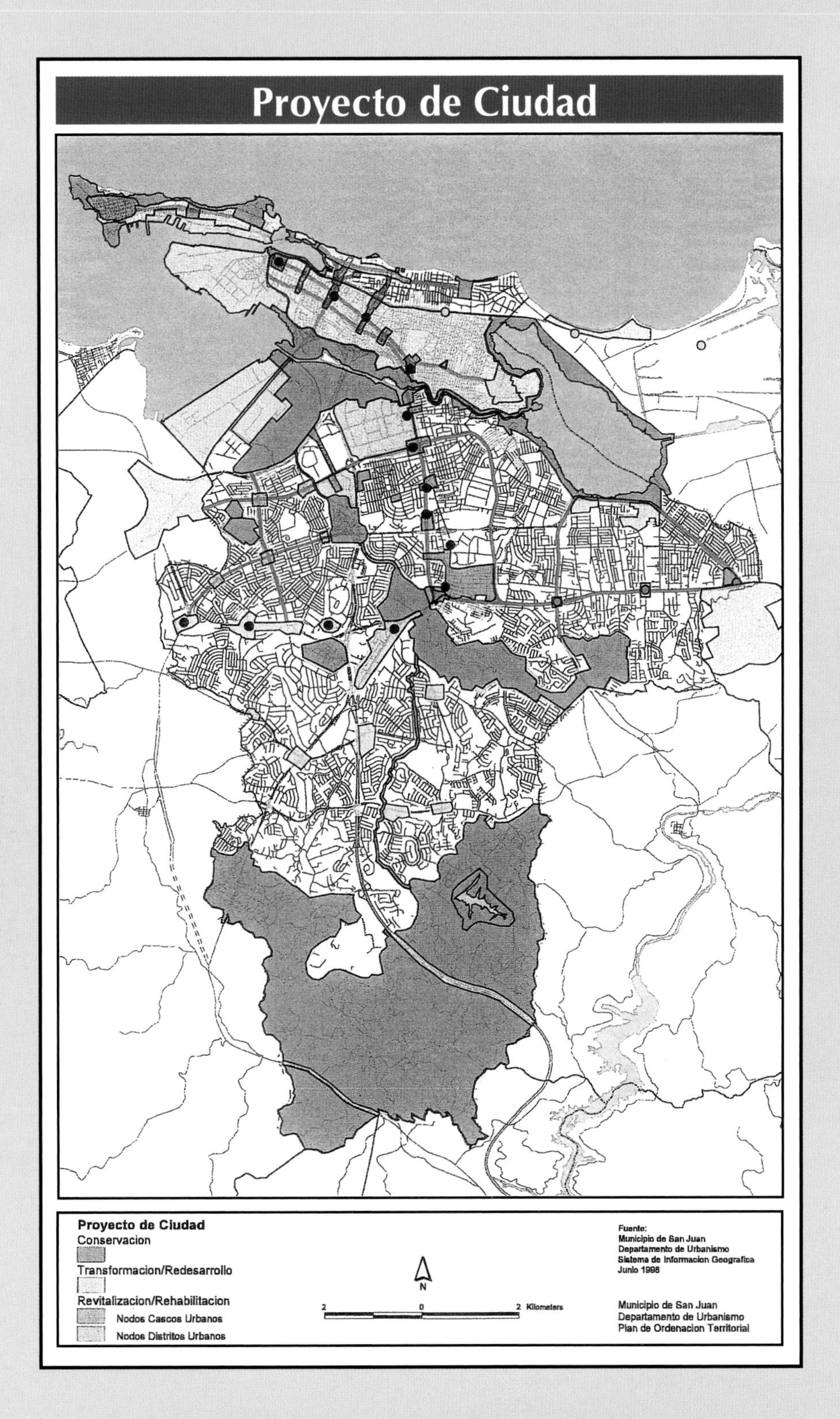

Avance del Plan de Ordenación Territorial, 1999. Municipio de San Juan

manejo de lo urbano

Hacia un nuevo manejo de lo urbano

En materia de planificación y ordenación territorial, el gobierno municipal de fin de siglo intentó desembarazarse de la inercia expansiva que iba en detrimento del propio municipio. Mientras que el Área Metropolitana crecía en población, su municipio central la perdía. A pesar de controversias y desazones, las autoridades municipales comenzaron a intervenir en la cultura de la expansión, fuertemente enraizada en las décadas previas, ante este avance la administración apostó por una cultura de la transformación que volviese a hacer atractiva una ciudad para vivir y trabajar.

Como en otras ciudades del planeta, se evidenció también en la principal ciudad de Puerto Rico la urgente necesidad de transformar viejos instrumentos de planificación que en su momento tuvieron legitimidad ante retos específicos de la modernización. Esos mismos instrumentos, sin embargo, habían tomado carta de residencia burocrática y en cambio habían propiciado un acelerado deterioro en los tejidos urbanos, siempre en favor de espacios poco sensibles para la convivencia ciudadana.

Por muchos años las decisiones que tenían que ver con las formas y la calidad de los espacios urbanos de San Juan habían sido relegadas a segundo plano. Por demasiado tiempo los asuntos relacionados con el diseño y la estética arquitectónica y urbanística se tildaban de innecesarios,

EL PROYECTO DE LA PENÍNSULA DE CANTERA
ANTICIPÓ EN MUCHAS DE SUS FACETAS Y PROCESOS
EL CONCEPTO DE COMUNIDADES ESPECIALES

costosos y superfluos. Hay una revalorización de las formas frente al monopolio de los utilitarismos y las funciones. Los requerimientos de un país en acelerado crecimiento priorizaron la cantidad en detrimento de la calidad.

Una de las pocas excepciones lo fue el proyecto de la Península de Cantera, fraguado algunos años antes, y que prefiguró algunas de las políticas de urbanismo que habría de adoptar el municipio a partir de 1997. Cantera, un conjunto de comunidades en pleno centro de la capital, presentaba rezagos dolorosos en calidad de espacio, desarrollo económico, movilidad social y dotaciones públicas. Era un rostro invisibilizado e ignorado en las márgenes del caño de Martín Peña que contrastaba con las torres acristaladas del centro financiero de San Juan.

Dada la complejidad de los trabajos y la necesidad de involucrar a amplios sectores comunitarios, el proyecto precisó de formas novedosas de manejo y administración. Sin todavía el respaldo que habría de proveer la Ley de Municipios Autónomos, se utilizó como mecanismo legal la

Proyecto de vivienda en Península de Cantera gestionado por el Municipio de San Juan

Archivo Fundación Sila M. Calderón

sección JP 242 de la Junta de Planificación que cobijaba los llamados planes de área. En dicha legislación trabajaron, entre otros, los abogados Antonio García Padilla y Lino Saldaña.[40] Una vez definida la personalidad jurídica, se procedió a la conceptualización programática que incluía la regularización de la tenencia de los suelos, planificación y rehabilitación de la infraestructura, la revitalización de los tejidos comunitarios, atención a la vivienda y al desarrollo económico.

En todas las ciudades importantes las inversiones públicas intentan señalar siempre las tendencias que los sectores privados deben apoyar para potenciar una ciudad habitable. Cantera se concibió como un proyecto de desarrollo integral y en su junta de directores se codeaban residentes con figuras de la empresa privada. Ante las limitaciones del *estado benefactor* en gestionar más proyectos de naturaleza social, había que reconocer la importancia de las apuestas del sector privado en materia de urbanismo. Una de las tareas que se asignaron a las recién creadas oficinas de los centros urbanos fue precisamente la preparación de paquetes de inversión que propiciaron ventanas de oportunidad para la inversión privada en la ciudad.

Cantera anticipó en muchas de sus facetas y procesos el concepto de Comunidades Especiales en cuya identificación trabajaron inicialmente Lucila Marvel, José Joaquín Villamil, Michelle Sudgen, Edwin Quiles, Glorín Martí y los propios residentes. Central al proyecto era la organización de un liderato visionario que pudiera identificar las necesidades prioritarias de la comunidad las cuales serían dotadas de un presupuesto operacional. Se perseguían resultados concretos, que pudiesen alcanzarse en poco tiempo y que tuviesen valor y repercusión social en el ámbito local. Como ciudadana privada, Sila María Calderón encabezó desde 1990 los complejos trabajos de Cantera.

El proyecto de la Península de Cantera fue un trasfondo importante para identificar protocolos de intervención adecuados y cómo era indispensable la integración de la comunidad en la transformación urbana. Aminorar las desigualdades sociales en una ciudad con situaciones evidentes de iniquidad social estaría presente en varios programas y proyectos gestionados desde la administración municipal.

Otro modelo para el reenfoque urbanístico de San Juan lo constituyó el plan Ponce en Marcha. Para paliar el cuadro deprimido que presentaba Ponce tras el fracaso del modelo industrial basado en las petroquímicas, se concibió en 1984 el plan Ponce en Marcha. El plan constaba de cuatro áreas de gestión para recomponer el tejido social y urbano de la ciudad: Turismo, Comercio, Manufactura y Construcción. Uno de los puntales emblemáticos del proyecto, impulsado por Rafael Hernández Colón, fue la restauración de la zona histórica que resaltó la importancia de los espacios públicos (aceras, plazas, parques y calles) que se renovaron en todo el centro. Se realizó bajo los auspicios del Plan, una renovación de las fachadas alrededor de la plaza principal, se estableció un paseo peatonal en la calle comercial principal y se reconvirtieron viejas estructuras para usos contemporáneos. La ciudad adquirió nuevas o restauradas dotaciones culturales tales como museos, escuelas de arte, bibliotecas y el teatro municipal, entre otras.

Este esfuerzo recibió un fuerte endoso del Programa de Cooperación Iberoamericana establecido por el gobierno de España en ocasión de la conmemoración del Quinto Centenario. Con la colaboración de expertos y peritajes del exterior, el proyecto resaltó el valor del casco de la ciudad y generó un efecto multiplicador que se tradujo en mejoras al puerto, el aeropuerto, la red de caminos, la plaza del mercado y las infraestructuras de luz y agua. No sólo el centro sino otras comunidades como el poblado de La Playa, la Joya y San Antón fueron impactadas por las inversiones públicas de Ponce en Marcha.

En la base de toda esta actividad se dispuso un nuevo instrumento de planificación urbana bajo parámetros muy semejantes a los que estaban vigentes en muchas ciudades europeas y algunas latinoamericanas.[41] Más allá de zonificar, el plan intentaba crear ambientes más habitables y competitivos entre los espacios urbanos y rurales; los públicos y privados, y entre los abiertos y construidos.

los profesionales

Los profesionales del nuevo urbanismo en San Juan

Al fin del siglo 20 comenzaba a gestarse entre muchos profesionales la necesidad de transformar los viejos paradigmas, reestructurar los reglamentos y los sistemas de permisos y gestión de la construcción. Es necesario advertir que estas nuevas tendencias internacionales en materia de gestión de planificación comenzaron a divulgarse primero entre las autoridades del municipio aunque no necesariamente constituían un paradigma generalizado. Todavía existían agentes de producción del espacio acostumbrados a los viejos estilos de planificación que favorecían la ocupación expansiva del escaso territorio isleño.

Cuartel del Este de la Policía
en el Municipio de San Juan
Ave. 65 de Infantería, 2000
Manuel Bermúdez, Arquitectos

Izquierda: Parque del Indio en El Condado, 2000
Archivo Fundación Sila M. Calderón

Abajo: Plan Vial, Plan Ordenación Territorial
Municipio de San Juan

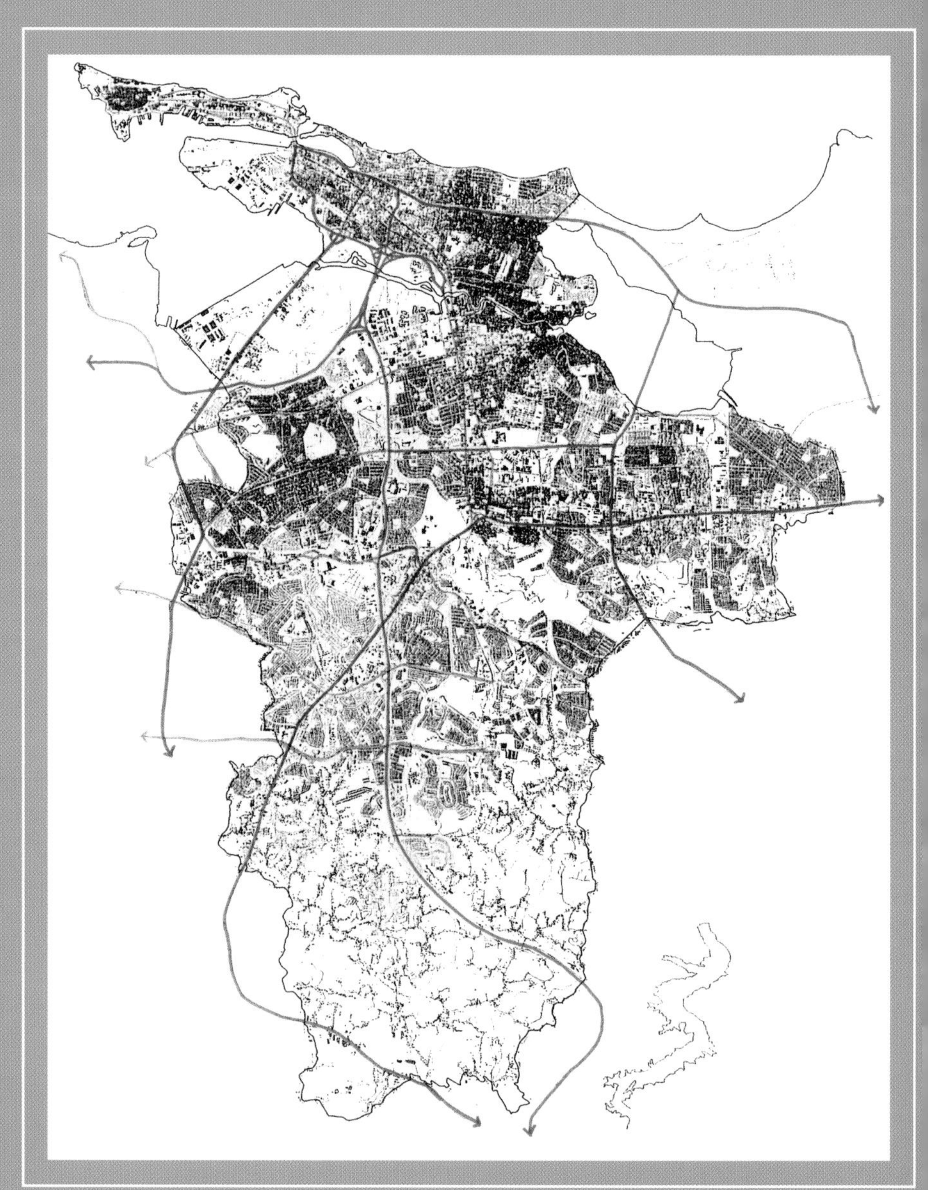

EN SU CATEGORÍA DE CONSULTOR, ANDRÉS MIGNUCCI DELINEÓ LAS PAUTAS CONCEPTUALES QUE DEFINIERON LA NUEVA ORIENTACIÓN DEL PLAN DE ORDENACIÓN TERRITORIAL

Izquierda: Parque de los Niños en Parque Central, Santurce.
Plan de reconstrucción, 2000. Andrés Mignucci, Arquitectos

El municipio de San Juan incorporó a sus oficinas una serie de protocolos y capital humano sensible. Los planificadores y arquitectos tuvieron durante los últimos años del siglo un papel más activo en la toma de decisiones. Los resultados se vieron casi instantáneamente, la calidad de los espacios, los materiales utilizados en las obras y sobre todo el esmero por el diseño urbano se evidenciaron en todas las intervenciones.

Un nuevo sentido de balance estético por el urbanismo se respiraba en las oficinas del nuevo Departamento. Es importante el bagaje que traían muchos de los profesionales jóvenes. Algunos de ellos habían trabajado en proyectos pioneros como Ponce en Marcha, la restauración del barrio de Ballajá y la renovación en la península de Cantera. Por ejemplo, la arquitecta Ilia Sánchez Arana, quien colaboró como consultora de urbanismo y arquitectura para la administración municipal de Calderón, había estado involucrada en los tres proyectos. La vocación urbana le venía de su padre, Herminio Sánchez Cappa, quien trabajó con Roberto Sánchez Vilella en los tiempos iniciales de la Junta de Planificación.[42] La arquitecta Sánchez también había trabajado en legislación de carácter urbano con el ingeniero José Izquierdo Encarnación quien había reformado la legislación de Sitios y Zonas Históricas; también había colaborado en la redacción de la Ley de Municipios Autónomos y en la Ley para el Desarrollo Integral de la Península de Cantera. Las piezas legislativas serían claves en las transformaciones experimentadas por el urbanismo en Puerto Rico en la última década del siglo.

El arquitecto Andrés Mignucci Giannoni, fue una figura importante en la conceptualización y puesta en marcha de muchos de los proyectos urbanísticos del municipio. Contaba con un sólido trasfondo académico habiendo sido profesor de arquitectura en la Universidad de Puerto Rico (UPR) y publicado trabajos relacionados al urbanismo, entre ellos un artículo sobre la urbanización del Barrio de Ballajá. Mignucci había estudiado diseño en Londres, el bachillerato en arquitectura en la universidad de Wisconsin y el post-grado en *Massachusetts Institute of Technology* (MIT) en Boston. Tras haber trabajado en la oficina de arquitectos del afamado Kevin Lynch, regresó a Puerto Rico y estableció su propia oficina.

En su categoría de consultor, Mignucci delineó las pautas conceptuales que definieron la nueva orientación del Plan de Ordenación Territorial. Más tarde, diseñó para el Municipio algunos de los espacios públicos más emblemáticos de la administración: El Parque del Indio, la Plaza Antonia Martínez en El Condado y el Parque de los Niños en una sección del Parque Central. En todos estos espacios se ubicaron piezas de arte que enriquecieron la habitabilidad de la ciudad.[43]

Por otro lado, una de las grandes insuficiencias en la administración de lo público en Puerto Rico en los últimos tiempos había sido el rezago en crear los sistemas de levantamiento de información y su mantenimiento para así ofrecer plataformas idóneas para la planificación, la modificación de políticas públicas, el seguimiento diacrónico y otras muchas funciones que se potencian por un buen sistema de información. Es algo totalmente irónico porque, a su vez, se han gastado sumas millonarias en compra de dotación informática, programación, contratación de personal técnico, consultores, etc. Mucho de este desfase entre inversión y resultados netos y aplicables tiene que ver con los parámetros de función y sobre todo, con una comprensión más operativa del rol de la información en la planificación y manejo de los asuntos públicos.

Una mayor sensibilización respecto a los giros mundiales que privilegian la información tanto o más que los bienes tangibles fue asumida por el Departamento de Urbanismo y su núcleo organizador. De ahí que la información se convirtió en un dispositivo que organizó las gestiones del Departamento y le dotó de un perfil más atemperado al modelo de gestión pública que proclamaba la administración entrante de la alcaldesa Calderón.

En el periodo investigado, el manejo de la información relativo a los asuntos de urbanismo del municipio se profesionalizó y se armó electrónicamente en los cuatro años que marcaron el fin del milenio. Esa labor estuvo a cargo del arquitecto Bennett Díaz. Dicha plataforma informática se ubicó en las oficinas del nuevo Departamento de Urbanismo. Para ello se utilizaron las nuevas tecnologías de información geográfica conocidas localmente por sus siglas en inglés GIS (*Geographical Information Systems*). El proceso requirió el acopio mediante compra o el levantamiento de datos geográficos que se correlacionaron con los datos censales socioeconómicos, ambientales, históricos, etc. La información disponible desde entonces permitió la planificación y el manejo del territorio a escalas micro como nunca antes.

En el informe de transición del Departamento de Urbanismo de San Juan tras las elecciones de 2000, se alude a una seria limitación que, a su vez, representa una de las condiciones *sine qua non* para potenciar un Plan de Ordenamiento ciudadano coherente y operacional: el levantamiento de información. *La principal función del Área Técnica del Departamento de Urbanismo consistió en la coordinación con las agencias y compañías públicas a cargo de la infraestructura para obtener sus datos de las redes y sistemas existentes y las mejoras programadas. No obstante, la información obtenida fue insuficiente en muchas instancias para poder determinar las capacidades residuales o deficiencias de las infraestructuras existentes. En algunos casos los técnicos e ingenieros a cargo tuvieron que organizar brigadas para levantar información de campo.*[44]

El arquitecto Díaz fue parte de la camada de profesionales con el peritaje y las disposiciones técnicas requeridas para la transformación de la planificación urbana hecha desde el propio municipio. Jorge Rivera, ingeniero de profesión, fue instrumental, desde la dirección de Urbanismo, en incorporar las bases y redes de información en la gerencia de los proyectos urbanos mientras que Rafael Calderón hizo lo propio en la dirección de Obras Públicas.

Por su parte, el arquitecto Javier Bonnin Orozco había trabajado en la oficina del Plan de Ordenación Territorial de Ponce por espacio de casi 15 años. Fue contratado por el municipio de San Juan para trabajar en el Plan de Ordenación Territorial.

De acuerdo con Bonnin, a diferencia de Ponce, donde se había acumulado mucha experiencia en la planificación, el manejo y la gestión del territorio, en San Juan no existía hasta aquel momento un esfuerzo similar. A su llegada al municipio de San Juan como consultor para el Plan de Ordenación, dicho proceso se encontraba en sus etapas de recopilación de información base.

Según el arquitecto, la condición metropolitana del municipio como cabecera de región urbanizada planteaba asuntos muy diferentes a cualquier otro municipio en el país.[45] Un ejemplo de la especificidad de San Juan era la necesidad de adecuar el plan a las colindancias con otros municipios. Tal era el caso de los conceptos de expansión de municipios como Guaynabo, en pleno crecimiento, versus los conceptos de redesarrollo que requería el de San Juan, dadas las condiciones de su espacio construido. El municipio de Guaynabo pretendía acelerar el desparramamiento de la mancha construida en la colindancia con San Juan mientras que San Juan pretendía limitar la expansión en ese sector colindante.

La noción de poli-centrismo, presente en los documentos de planificación relacionados con el Área Metropolitana de San Juan, no era parte del vocabulario urbanístico utilizado por el resto de los pueblos y ciudades de la Isla. Por otro lado, las administraciones municipales que precedieron a la que nos atañe trataron de ajustar los planes urbanos del municipio a los conceptos modernistas que habían predominado en la Junta de Planificación. Al asumir un plan de ordenación dicho lenguaje entró a menudo en contradicción con los lenguajes en vigencia.

LOS INSTRUMENTOS LEGALES Y DE PLANIFICACIÓN DISPONIBLES PARECÍAN YA INSUFICIENTES PARA ATENDER LAS PROBLEMÁTICAS SANJUANERAS

¿Cómo se maneja el crecimiento dadas las condiciones de capitalidad y de municipio cuyo territorio estaba a final del siglo 20 casi totalmente construido? ¿Cómo salvar de la vorágine de la construcción el poco territorio abierto del municipio? Los instrumentos legales y de planificación disponibles parecían ya insuficientes para atender las problemáticas sanjuaneras. Se trataba del inicio, muchas veces doloroso de cambios profundos que se requerían en San Juan. Estas transformaciones conceptuales traían consigo modificaciones en la estética, innovaciones legales, de gestión y manejo, y que en general se adentraban en el universo de mentalidades y actitudes hacia la ciudad.

En el proceso se dio también la recuperación de valores y planes elaborados por la propia Junta de Planificación que no se habían concretizado. El arquitecto Bonnin recuerda, por ejemplo, que el Plan de manejo de los recursos de agua se nutrió del plan denominado *San Juan City Edges* de 1975. La nueva iniciativa de aguas se consideraba heredera de una tradición y nobles esfuerzos de rescatar las orillas y riberas acuáticas del municipio.

Cuando se le pregunta al arquitecto que mencione algunos casos de especial importancia relacionados con la planificación durante ese cuatrienio, no duda en mencionar dos. De una forma u otra ambos casos estuvieron relacionados con el crecientemente estratégico recurso del agua. El primero, fue la controversia surgida por la suspensión temporera a la construcción requerida en algunos de los barrios del sur del municipio. En su opinión, la moratoria dejó muy claro uno de los diferendos entre el gobierno central y el municipal por asumir jurisdicciones más que por dirimir asuntos de estricto contenido.

El otro caso fue el del llamado Condado Trio.[46] Este caso también dejó ver las diferencias entre el municipio y el gobierno central. Los particulares del caso tuvieron que ver con el concepto fundamental de la recuperación de la costa como recurso urbano, expresado en el plan de agua.

Para los urbanistas del municipio era fundamental el recuperar los espacios costeros como recursos urbanos. Por otro lado el caso puso de manifiesto las capacidades de las infraestructuras como elementos ordenadores del desarrollo urbano. En el Condado Trio la saturación de las infraestructuras viales generó debate en torno a la viabilidad del proyecto.

La definición de lo que se incluía como patrimonio edificado se modernizó y actualizó con el caso del Condado Trio. La lucha por salvar el antiguo hotel La Concha, joya del modernismo, evidenció las visiones anacrónicas de organismos estatales como el Instituto de Cultura Puertorriqueña y la Junta de Planificación que tardaron en reconocer ese tipo de arquitectura como parte de la herencia construida en el País. El licenciado Omar Jiménez llevó el caso en representación de la Ciudad hasta el Tribunal Supremo donde por fin se ganó.

Para el arquitecto Bonnin, el enorme esfuerzo en preparar un moderno Departamento de Urbanismo en el municipio demostró a su vez, la necesidad de una Secretaría de Urbanismo que a nivel central, todavía aguarda por realizarse.

Viejas y nuevas geografías

El área geográfica de cerca de 123 kilómetros cuadrados que hoy ocupa San Juan estuvo organizada administrativamente en tres municipios diferentes: San Juan, propiamente dicho, sólo comprendía el territorio de la Isleta (2.2 km^2), Santurce (13.5 km^2) y Río Piedras (108.1 km^2).[47] El antiguo municipio de Cangrejos se incorporó con el nombre de Santurce como un barrio extramuros de San Juan en el 1862; mientras que Río Piedras dejó de ser municipio independiente para incorporarse a San Juan en 1951. A pesar de que estas adiciones se efectuaron hace largo tiempo, perdura en la geografía imaginaria de sus ciudadanos una memoria de diferenciación territorial aunque ya no genera las identidades y adscripciones de antaño.

San Juan ha tenido y tiene diferentes nombres, densidades culturales y tradiciones urbanas complejas. Amalgamar el territorio y adjudicarle un gentilicio común fue una tarea que requirió muchas generaciones. Esta es quizás una de las razones por lo que aún a finales del siglo 20 muchos de sus ciudadanos no podían identificarse con su gentilicio. El trabajo de hilvanar los antiguos espacios con los nuevos y dotarlos de un centro con el cual sus habitantes se identificasen fue una de las tareas abordadas en el periodo de fin de siglo 20. La cercanía y el conocimiento local de las necesidades y oportunidades de cada vecindario probaron muy pronto su efectividad. La vuelta a la ciudad, necesariamente pasaba por las nuevas formas de administrarla.

Por muchas décadas la prioridad de las inversiones públicas del municipio de San Juan se concentró en atender los espacios suburbanos hacia donde migraron muchos sanjuaneros o donde llegaron nuevos residentes del resto de la Isla. Contrastando con las altas tasas de crecimiento poblacional en las urbanizaciones, Santurce, Río Piedras, la Isleta y El Condado padecieron la falta de atención y el desgano de los sectores públicos y privados.

Una impronta de Ponce en Marcha que se extiende a la programación de San Juan fue la rotulación del municipio, para propósitos de transformación urbana, en cuatro centros, siguiendo el modelo de la Oficina Territorial de la ciudad del Sur. Nuevamente, se designó un director(a) por cada una de las subdivisiones o *cascos urbanos*: Viejo San Juan; El Condado; Santurce y Río Piedras. Este corte era importante porque permitía una identificación y coordinación en el lugar y las prioridades específicas. Por otro lado, la programación de las obras se coordinaba además con el Departamento de Cultura en un esfuerzo de fomentar la actividad cultural en los respectivos centros.

Debe señalarse que el concepto de casco urbano no significaba lo mismo en los cuatro casos. El Viejo San Juan y Río Piedras eran centros con perfiles urbanos tradicionales dotados de personalidad histórica particular. Río Piedras, fundado en el siglo 18, había sido cabecera municipal hasta 1951 mientras que el Viejo San Juan afianzó su estructura urbana con las políticas de conservación promulgadas por el Instituto de Cultura Puertorriqueña a partir de 1955. No era el caso de los otros dos centros. Santurce y El Condado, desarrollados en el siglo 20, no tenían esa continuidad y no alcanzaron a constituir cascos diferenciados del resto de los tejidos urbanos circundantes.

Ciertamente, la división en centros era un paso importante en una proyectada descentralización de los servicios y en la administración de los proyectos. Sin embargo, la vocación localista no llegó a internalizarse de manera consistente en la ciudadanía de los cuatro centros. En la mentalidad ciudadana, la municipalidad continuó personificada en la alcaldía. Como todo proceso que rompía con patrones largamente establecidos, requería de modificaciones sustanciales en las actitudes tanto de los ciudadanos como de los organismos administrativos.

El despegue de la obra pública

Para realizar la obra pública que la ciudad requería hacia fines del siglo había que contar con recursos fiscales sustancialmente mayores de los disponibles. Como se recordará, al inicio del cuatrienio el municipio de San Juan revisó las tasas contributivas de la propiedad. Dicha revisión permitió aumentar el margen prestatario, lo que permitió tener el mayor aumento presupuestario en la historia del municipio. En el primer año del cuatrienio se establecieron las bases del programa cuyos objetivos fundamentales se decantaron en dos vertientes: la inversión en proyectos de obra capital que a su vez propiciasen mayores niveles de inversión privada; y mejorar los servicios a los ciudadanos.

En las últimas décadas del siglo, San Juan había experimentado un éxodo empresarial a favor de municipios aledaños como Guaynabo, Carolina y Bayamón. La rehabilitación y repoblamiento de la ciudad no podía estar a cargo únicamente del interés público. Requería del concurso de un sector privado dinamizado y asociado al proyecto de ciudad. La creación de un Departamento de Desarrollo Económico perseguía establecer una plataforma de incentivos para la inversión en San Juan.[48] Entre otros elementos, esta plataforma contemplaba un programa de exenciones contributivas para las propiedades situadas en los cascos; profesionalizaba la permisología para construcciones y promovía la adquisición de propiedades abandonadas o en desuso.

Uno de los mecanismos implantados fue un Banco de Información con fichas pormenorizadas del inventario de estructuras disponibles para la inversión privada. Paralelamente, se creó la figura del promotor urbano ocupado en tareas de mercadeo y fomento de la reinversión privada en los centros urbanos de la capital. El paquete de incentivos logró promover 42 proyectos de inversión privada con cerca de $45 millones de inversión; 26 proyectos comerciales fueron aprobados bajo este mecanismo en el Viejo San Juan.[49]

La conversión del sector privado en un socio de la revitalización urbana de San Juan constituyó una modificación a las prácticas y los estilos tradicionales de inversión y proveyó un modelaje para otros municipios. Lo público y lo privado no tenían por qué sentirse como antípodas si había un proyecto social y económico de ciudad que beneficiaba a ambos sectores.[50]

Gran parte de los presupuestos municipales se destinó a las obras de construcción de nuevas dotaciones, el mantenimiento de las existentes y sobre todo a la revitalización de los espacios públicos con mejor vocación para convertirse en espacios cívicos. Durante los primeros meses de la administración Calderón se trabajó intensamente para determinar qué obras se podían hacer, cual sería la calendarización del plan; y por supuesto determinar con precisión de dónde saldría el dinero que posibilitaría el diseño, construcción y mantenimiento de las obras. Al cabo de pocos meses se habían definido unos 80 proyectos a iniciarse.

EL SECTOR PRIVADO SE CONVIRTIÓ EN UN SOCIO DE LA REVITALIZACIÓN URBANA DE SAN JUAN

Ya para el verano de 1997, la administración municipal lanzó una primera convocatoria para firmas interesadas en someter propuestas que atendieran los proyectos urbanos desde los parámetros de rehabilitación y repoblación. La obra pública se subdividió en áreas programáticas tales como Recreación y Deportes, Arte Urbano, Desarrollo Económico y Salud, entre otros. Cada proyecto tuvo sus respectivos supervisores. Todos ellos estaban capacitados en el ámbito del diseño urbano y esta condición se destaca como un activo en el equipo de trabajo.[51]

Muchos de los profesionales participantes puntualizan el espíritu de equipo que rodeaba las jornadas del Departamento de Urbanismo y la profesionalización de los servicios técnicos. Algunos de los proyectos completados parecen revelar una especie de *duende*, como las obras de los centros *Head Start* y las que se ejecutaron en el Hospital de San Juan. Otros no cuajaron tan bien, por causas diversas, como el Cementerio de San Juan por su prolongada ejecución o el parque de la orilla sur de la laguna San José que no logró conectarse adecuadamente con el resto de la red de espacios públicos del municipio.[52]

Plaza Antonia Quiñones, 2000
Andrés Mignucci, Arquitectos

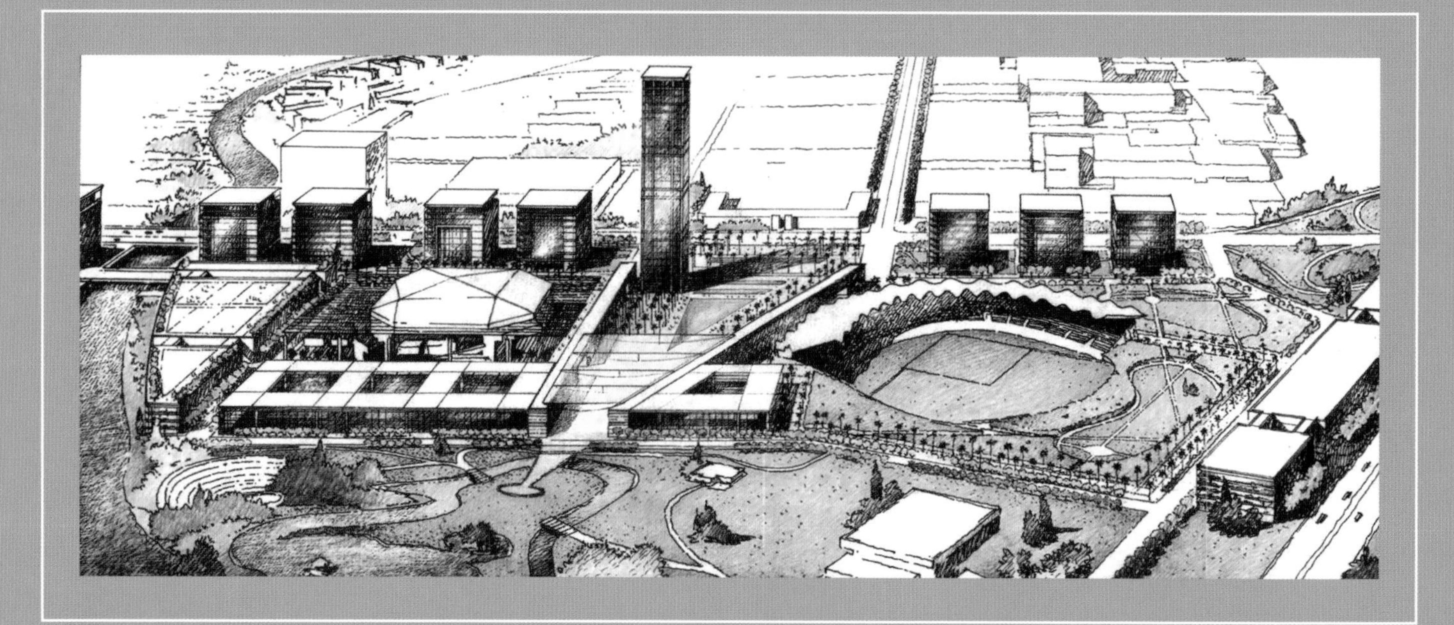

Perspectiva del entorno al complejo deportivo en Hato Rey, 1999

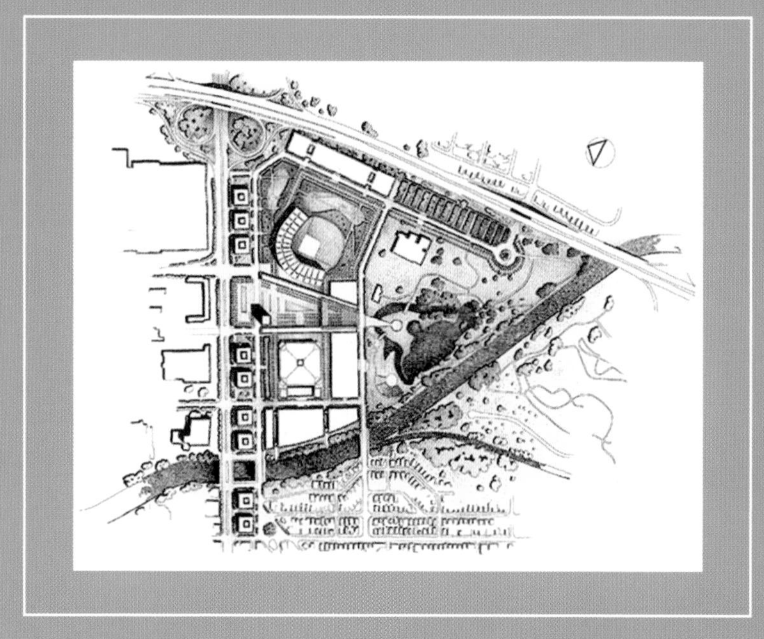

Planta del entorno al complejo deportivo en Hato Rey, 1999

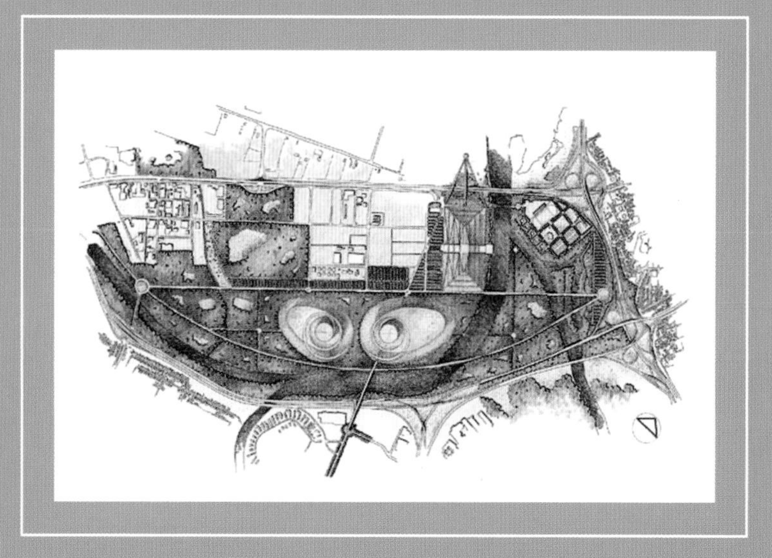

Parque de la Paz *en el antiguo vertedero. Ricardo Bonfill, 1999*

Al fin del siglo 20 muchas ciudades de Estados Unidos y el resto del mundo invirtieron grandes recursos en planificar y construir dotaciones urbanas diseñadas por grandes estrellas del diseño de categoría internacional. Se trataba de una herramienta para retener o acrecentar centralidad en el competido mundo urbano de carácter global. Esfumadas las aspiraciones de ser sede de los Juegos Olímpicos, pieza maestra de mercadeo de las ciudades en el mundo contemporáneo, San Juan necesitaba contar con dotaciones lúdicas de gran categoría que hicieran volcar los ojos de un creciente y sofisticado turismo cultural. Además del Centro de Convenciones y del nuevo Coliseo, gestionados desde los gobiernos centrales, el municipio intentó rescatar el espacio recién ganado del antiguo vertedero frente a la Bahía como un parque con hermosas vistas y conectado a los corredores verdes del resto del municipio. Esta iniciativa se llamó Parque de la Paz *e iba a estar diseñado por Ricardo Bofill una de las figuras catalanas de más prestigio en el mundo del diseño. De este plan se pudo llevar a cabo solo una pequeña porción en Hato Rey. Aún queda abierta la oportunidad.*

La mirada de Ricardo Bofill[53]

De tanto en tanto algunas ciudades invitan a urbanistas extranjeros a mirar y proponer ideas con los ojos frescos del que las examina sin los prejuicios del que las habita. Estas convocatorias suelen complementar las aportaciones de los profesionales locales que a fuerza de convivir con espacios determinados pueden pasar por alto algunas oportunidades. Entre 1998 y 1999 el municipio de San Juan convocó a la firma del arquitecto catalán Ricardo Bofill a mirar y proponer usos para el espacio abierto privilegiado con que contaría la ciudad al cierre del antiguo vertedero municipal.

Tres montes dominaban las grandes vistas hacia y desde la ciudad y su Bahía. Se trataba de ordenar un sistema de espacios abiertos frente a la Bahía, junto al Caño de Martín Peña y el Parque Central y compaginarlo con el resto del sistema de parques y estadios deportivos de la ciudad.

Ricardo Bofill era, en 1998 y sigue siendo hoy, una de las figuras más importantes de la arquitectura y el urbanismo a nivel internacional. Su carrera profesional, de sensibilidad postmoderna, se inició en la década de 1960 e incluye obras de renombre en casi todos los continentes, pero sobre todo en España, Francia y Estados Unidos. En 1985 Bofill fue el protagonista de una renombrada exhibición en unión con Leon Krier llamada *Architecture, Urbanism, and History* en el Museo de Arte Moderno de Nueva York. La exhibición consolidaba su sensibilidad histórica, cualidad muy valorada en la nueva arquitectura. Pensamos que esta exhibición fue determinante y llamó la atención de quienes organizaron su convocatoria a San Juan.

Durante la década de 1990 dos de sus obras más renombradas fueron el diseño del nuevo aeropuerto internacional de Barcelona concluido en 1992 en ocasión de las Olimpiadas y el Palacio Municipal de Congresos en Madrid inaugurado en 1995. La notoriedad de ambas atrajo también la mirada de los urbanistas en Puerto Rico.

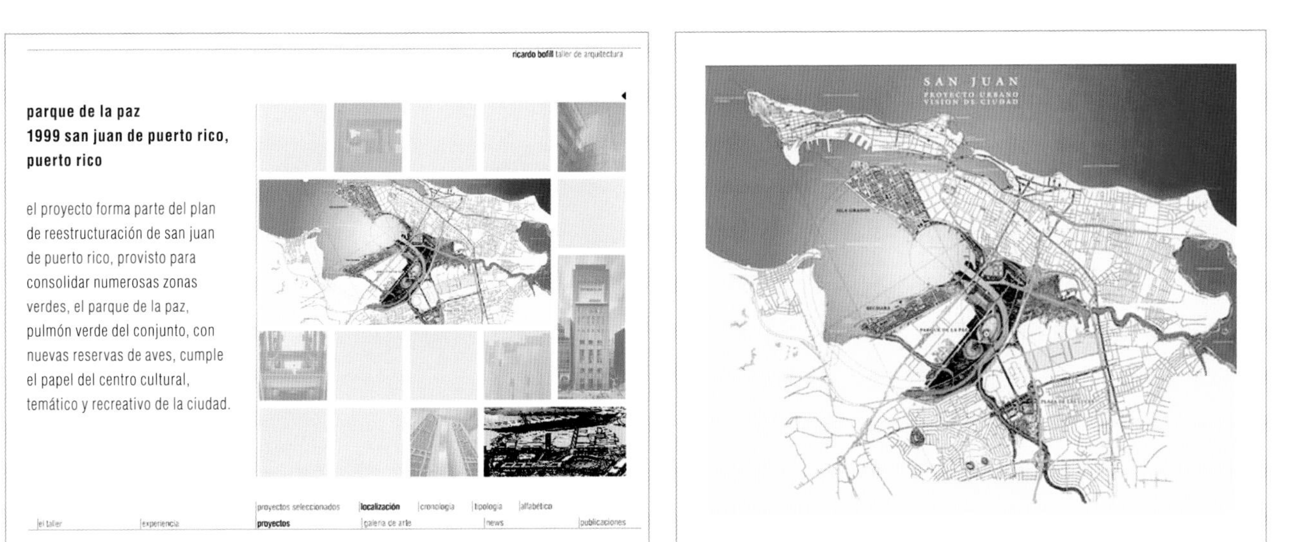

Parque de la Paz, *1999*
Ricardo Bofill
Taller de Arquitectura

Visión de Ciudad, *1999*
Ricardo Bofill
Taller de Arquitectura

A final de siglo 20 uno de los atributos en el intenso mercadeo de las ciudades en competencia, era poder contar con obras arquitectónicas o urbanísticas de las denominadas *de autor*. El caso más estudiado y famoso lo constituyó la ciudad de Bilbao que tras elaborar un plan estratégico de reconversión, se dotó de una obra emblemática como el Museo Guggenheim del afamado arquitecto Frank Ghery. Esa obra se estableció como la cabeza de lanza de la transformación de la ciudad. El ejemplo de Bilbao puso de manifiesto una cierta metodología y el paradigma de que toda ciudad que se valorase como una innovadora y competitiva debía tener entre su inventario alguna obra de un gran arquitecto de talla global. Claro está, este tipo de acercamiento al desarrollo no estuvo exento de controversias.[54]

Ricardo Bofill había concentrado la atención internacional por varias décadas y estaba en la categoría de arquitecto estrella. Luego de perder la candidatura para los Juegos Olímpicos del 2004, San Juan apostaba nuevamente por contar entre su acervo con obras de categoría mundial que catapultaran sus recursos de espacios verdes disponibles y pusiese a la capital del país en el mapa de las ciudades con vocación global. Tras su trayectoria con el manejo de las escalas urbanas parecía apropiado que la firma de Bofill examinara, a nivel regional, la red de espacios abiertos de San Juan y propusiera proyectos concretos de acuerdo con el programa preparado por el municipio de San Juan.

La gran parcela compuesta por los tres picachos del antiguo vertedero fue el principal foco de atención. Este espacio requería especial esmero por su privilegiada localización frente a la Bahía, su cercanía al centro de Hato Rey y las oportunidades urbanísticas que aportaría para vertebrar la nueva red de espacios lúdicos y de esparcimiento de la capital.

La firma de Ricardo Bofill estuvo a cargo del diseño del denominado *Parque de la Paz*. El proyecto formaba parte del plan de ordenación que intentaba consolidar una gran cantidad de zonas verdes en el municipio. El espacio contenido por los tres montes del antiguo vertedero municipal constituiría el pulmón verde principal del conjunto e incluiría reservas de aves ribereñas que anidaban en la desembocadura del Caño de Martín Peña.

Además, se intentaba que este nuevo espacio verde, unido por corredores acuáticos y verdes al resto de la infraestructura lúdica existente, cumpliese el papel de centro cultural, temático y recreativo de San Juan. El proyecto incluía dos anfiteatros al aire libre, un hotel y la reestructuración y renovación del complejo deportivo municipal en Hato Rey. El área contenida ocupaba una superficie de más de 20 hectáreas. En aquella ocasión la firma de Bofill propuso a su vez la reconversión de la zona portuaria y la urbanización de Isla Grande como espacios de nueva centralidad en la ciudad. Todo este esfuerzo estaba predicado en devolver la cara urbana de la ciudad a su bahía y potenciar al máximo los recursos verdes de la ciudad-región que continuaba desparramándose y ocupando los fértiles valles costaneros del norte de la Isla.

Casi todos los funcionarios de la administración entrevistados por los autores de este trabajo, incluida la propia alcaldesa, catalogan aun hoy, el proyecto de Ricardo Bofill como una iniciativa extraordinaria para repensar el futuro de la ciudad. Coinciden en que esta iniciativa fue una de las más ambiciosas iniciadas por la administración municipal para definir el futuro de San Juan.

espacios públicos

Prioridad a los espacios públicos

La calidad de una ciudad se mide en función de sus espacios públicos. Décadas atrás, a lo largo del período de modernización que se dio a partir del fin de la Segunda Guerra Mundial, las miradas y las inversiones priorizaron los sectores recién creados y desatendieron los existentes. Este hecho podría explicarse en parte por las actitudes de rechazo del urbanismo que prevalecieron en la segunda mitad del siglo 20 en casi todo el mundo occidental. El llamado *movimiento moderno* rechazaba la ciudad y los espacios públicos tradicionales en favor de los espacios nuevos, orientados casi exclusivamente al automóvil.[55]

Hato Rey, 2000
Archivo del Museo de Arte e Historia de San Juan

Arborización en Santurce, 2000
Archivo Fundación Sila M. Calderón

Los paradigmas que priorizan el auto en detrimento de los espacios cívicos y la privatización de los espacios comunitarios comenzaron a cuestionarse en las últimas décadas del siglo 20. Al mismo tiempo, la opinión pública comenzó a reconocer la importancia de los espacios públicos como los parques, plazas y aceras. No había que hacer tábula rasa. La ciudad contaba con corredores que reclamaban ser revisitados. La forma urbana del área central del municipio está vertebrada por las avenidas Ponce de León y Fernández Juncos que discurren entre el Viejo San Juan, pasando por Santurce y el viejo casco de Río Piedras. Este eje definió en el pasado una *ciudad lineal* de cerca de once kilómetros.[56] En ella existió un sistema de tranvía que estimuló la ciudad caminable a lo largo de su recorrido. Hoy sigue siendo uno de los corredores mejor servidos por el transporte colectivo, piedra angular de la revitalización de cara al futuro. A pesar de que esta vía es Estatal, la administración municipal reconoció la importancia de la misma como una oportunidad para rehilvanar la ciudad central.

En los corredores más importantes de la ciudad se implantó un concepto de paisajismo, ideado por un ciudadano privado, Enrique Vila del Corral, que se basaba en un análisis de fotografías aéreas.[57] El plan para su ejecución fue financiado por el Banco Popular de Puerto Rico antes del inicio del cuatrienio. El eje central del proyecto era arborizar las principales avenidas de la ciudad. Para ello hubo que rediseñar aceras y escoger los árboles de rápido crecimiento que requiriesen también poco mantenimiento.

Arriba: Sello de la Alcaldía de Cangrejos, 1860 c. Archivo General de Puerto Rico, San Juan

Abajo: Jueyes de Adelino González, 2000. Archivo Fundación Sila M. Calderón

Una vez rearborizadas, las avenidas principales se transformaron en espacios más amables y entrañables al peatón. Por primera vez en mucho tiempo se hacían inversiones que no necesariamente tenían en cuenta el auto. El presupuesto del programa de siembra ascendió a $10.5 millones.[58] Una siembra masiva en las avenidas y corredores en Santurce, Hato Rey y Río Piedras dotó a la capital de eucaliptos, almácigos, flamboyanes y robles. Un sendero de palmas caribeñizó la vegetación con vista al mar en Puerta De Tierra.

Estas intervenciones enfatizaron un aspecto a menudo soslayado por las administraciones municipales. No se trataba sólo de arborizar sino de configurar paisajes agradables, útiles por su sombra y atentos a las características tropicales del entorno. El paisajismo nocturno también fue objeto de atención con la iluminación de cerca de treinta edificios referenciales o hitos –bien sea de instituciones municipales o estatales– localizados especialmente en el área de Santurce. Algunos sectores obtusos acusaron a la administración de querer decorar, cuando lo que en realidad se estaba haciendo era dotar de sombra verde y ecológica los corredores peatonales de la ciudad. Así se tornaron caminables y con cobijo de árboles los ejes organizadores de la ciudad.

El municipio invirtió cuantiosos recursos para adecentar y potenciar los espacios públicos que por mucho tiempo estuvieron a merced de la falta de inversión y la ausencia de mantenimiento. En el Viejo San Juan, por ejemplo, se invirtieron $18 millones para rehabilitación y puesta al día de espacios públicos que además tenían carga simbólica importante; en Santurce, $15 millones que procuraban la densificación de un área que mostraba índices alarmantes de despoblación.[59]

La remodelación o nueva construcción de casi todo el inventario de parques y plazas principales de la ciudad se hizo sentir en el cambio de siglo. Estos espacios fueron diseñados y construidos con criterios de calidad poco usuales en el pasado reciente de la ciudad. Se trataba de recuperar antiguas prácticas cuando a pesar de ser infinitamente más pobre, a comienzos del siglo 20, se invirtió en parques y plazas que aún a finales del siglo eran símbolos y señas de identidad colectiva.

A pesar del arrollador avance de los supermercados y las hipertiendas, las viejas plazas del mercado de la ciudad continuaban subsistiendo. Sin embargo, sus plantas físicas se habían deteriorado (la de Río Piedras se quemó al comienzo del cuatrienio). El municipio remodeló las plazas de Río Piedras y de Santurce y con ello potenció sus entornos como espacios urbanos de nueva centralidad. La de Santurce recuperó su antiguo esplendor y en su alrededor se diseñaron espacios de encuentro ciudadano. La de Río Piedras se remodeló completamente.[60] En ambos casos se añadieron nuevos espacios con obras de arte público. Inversiones estratégicas como éstas estaban pensadas para potenciar la recuperación de amplios espacios urbanos en los centros tradicionales.

Hato Rey nocturno, 2000

Plaza del Mercado de Río Piedras, 2000
Nataniel Fúster Félix, Arquitecto

Políticas estratégicas y debate público: El repoblamiento y el medio ambiente

repoblamiento y el medio ambiente

El tema de repoblación del área urbana ponía sobre el tapete la aguda condición de suburbanización o huída de los capitalinos a los desarrollos extraurbanos del municipio. A la inversa de las décadas intermedias del siglo 20 en las que el área urbana de San Juan se hipertrofió por la llegada de inmigrantes del interior, hacia final del siglo se advertía una reducción poblacional y más importante aún de vida urbana en la ciudad. En el censo de 1970 el municipio de San Juan contaba con 463,264 personas mientras, en el censo del 1990 sus habitantes se habían reducido a 437,745. Esa reducción de más de 25,000 habitantes ocurría sin embargo paralela al crecimiento poblacional de los municipios vecinos de Bayamón, Carolina y Guaynabo, que por el contrario, experimentaron vigorosas alzas.

A la merma en la cantidad de personas que habitaba el municipio de San Juan le acompañaba un fenómeno aún más preocupante. El municipio central del Área Metropolitana comenzaba a exhibir las condiciones socioeconómicas que se evidenciaban en los centros urbanos de las ciudades norteamericanas. En estas ciudades las clases medias habían abandonado los centros y en ellos se concentraban poblaciones envejecidas y pobres. Una de las estrategias de la administración Calderón para tratar de retener residentes y garantizar la heterogeneidad socioeconómica del municipio fue habilitar territorios y estructuras otrora cotizados, pero paulatinamente abandonados a favor de las urbanizaciones donde emigraba en masa la clase media.

Algunos sectores centrales de la ciudad se designaron como lugares recipientes de nueva población, especialmente en el sector de Santurce. Algunos de los proyectos fueron Pelícano de 52 unidades de vivienda, Pesante de 9 unidades,[61] y Hábitat de 13 unidades. La totalidad de viviendas en Santurce ascendió a 465 unidades. En Río Piedras se gestionaron alrededor de 570 unidades de vivienda.[62] Eventualmente, se levantarían en áreas de localización ventajosa varios edificios residenciales restaurados y con ellos un debate complejo sobre quiénes ocuparían dichos espacios. Por un lado, los precios de algunos de esos inmuebles los hacían accesible a determinados niveles de ingreso. Por el otro, la re-urbanización implicaba una inversión costosa que había que recuperar. Además, el proyecto de repoblamiento debía tener composición mixta, es decir, potenciar un tejido poblacional diverso, entre ellos capas de profesionales jóvenes además de los sectores con mayor arraigo.

Para que sea viable un sistema sostenible de transporte colectivo que posibilite un cambio de actitudes hacia la prepotencia del auto, se requiere de una densidad habitacional adecuada. Las nuevas intervenciones en urbanismo propiciaron mayores densidades en aquellos lugares centrales próximos a los transportes colectivos y donde estaba presente la infraestructura necesaria para atender mayores cotas de población.

Una de las críticas a las políticas de repoblamiento lo constituyó la creciente gentrificación o señoralización de los cascos urbanos reconvertidos, especialmente Santurce. El debate no fue privativo del San Juan de fin de siglo. En ciudades como Nueva York, Miami, Guadalajara o Barcelona se experimentan tensiones alrededor de las recuperaciones de territorio urbano entre recién llegados que están apostando a la ciudad y residentes de antaño.

Se procedió a la planificación y el rediseño de la avenida de Diego, incluidas sus aceras, mobiliario urbano y arborización como eje vertebrador de un distrito cultural. Sin embargo, el proyecto no pudo completarse bajo la administración de Calderón.

Por un lado, los costos de nueva construcción en los centros urbanos reconvertidos hicieron difícil atraer inversión privada a proyectos de vivienda social. Por otro lado, se perseguía atraer a la clase media nuevamente a la ciudad, tras décadas de huída hacia el suburbio. Era, pues, una situación políticamente compleja y que presentaba argumentos convincentes de uno y otro lado. ¿Cómo recobrar una ciudad en su diversidad y a la vez no descansar exclusivamente en políticas de vivienda subsidiada? [63]

rdenación territorial

De la planificación a la ordenación territorial

A finales del siglo 20 Puerto Rico era un territorio casi totalmente urbanizado. El territorio isleño de cerca de 9,000 kilómetros cuadrados (3,435 millas cuadradas) estaba habitado por cerca de 3.5 millones de personas. La densidad poblacional de la isla era una de las mayores de todo el Globo (400 personas por kilómetro cuadrado o 1,034 por milla cuadrada). Su capital era la cabecera de una región metropolitana compuesta por una conurbación de municipios. Siete municipios constituían lo que para entonces ya se conocía como el centro del Área Metropolitana: San Juan, Guaynabo, Bayamón, Cataño, Carolina, Trujillo Alto y Loíza. Sin embargo, el Área Metropolitana continuaba creciendo hasta abarcar unos 13 municipios que incluían a Canóvanas por el este y a Toa Alta, Toa Baja, Dorado, Vega Alta y Vega Baja por el oeste, que concentraban cerca del 40 % de la población del país. En esta región se había borrado ya el mundo escindido entre la ciudad y el campo.[64]

San Juan, cabecera de la región, y por supuesto del país, concentraba la mayor parte de los servicios ciudadanos. Se hacía imprescindible resignificar la planificación de la capital. Hasta entonces, el modelo de ordenación territorial, con la excepción reciente de Ponce, descansaba en el principio de que los planes urbanos eran un asunto privativo del gobierno central. La Junta de Planificación, creada en 1942 como entidad central, había desdeñado el papel de los municipios en ese tema. Esto había generado la práctica de ofrecer soluciones genéricas a los pueblos y ciudades en función de *planes maestros* que hacían poco caso a las realidades y voluntades municipales.

Con la Ley de Municipios Autónomos de 1991 se constituyó el marco legal que permitió la posibilidad de revertir el modelo centralista de planificación. Municipios como Ponce, San Juan, Carolina y Bayamón entendieron las posibilidades de futuro que tenía esta apuesta. De cierta manera se restablecían competencias a los municipios que desde el siglo 19 estuvieron en sus manos. El Plan de Ordenación Territorial, cuya fase de avance se concluyó en 1999, planteaba un modelo alterno de planificación.

Si se quiere entender la forma en que se organizan y distribuyen sobre el territorio municipal los espacios urbanos maduros y consolidados diferenciados de los espacios suburbanos a que nos referimos puede examinarse el plano denominado *Patrones de Asentamiento* publicado en el *Avance del Plan de Ordenación* en 1999. Este plano muestra con precisión la ubicación de los sectores que conforman la estructura espacial de la ciudad: *Los patrones de asentamiento constituyen la huella, el patrón físico producto del conglomerado de edificaciones que comparten organizaciones espaciales similares en cuanto a su parcelación, ocupación del suelo, densidad, continuidad de tejido y patrones de altura, entre otros.*[65]

la trama del plan

La trama del Plan de Ordenación Territorial

Con el apoyo de la Ley de Municipios Autónomos, se inició a finales del siglo 20 un proceso de descentralización para devolver a los municipios algunas competencias en materias fiscales y de ordenación territorial. Por primera vez en el siglo, el municipio de San Juan se replantea intervenir sobre lo ya construido.

Las actuaciones del Departamento de Urbanismo rebasaron las intervenciones puntuales a favor de la reurbanización de la ciudad. Con la decisión de elaborar un Plan de Ordenación Territorial se apostaba a una solución de larga duración que organizara, no sólo la vuelta a lo urbano, sino el crecimiento urbano de la ciudad. La adopción del proyecto de un plan de ordenación territorial supuso una serie de rupturas con modelos establecidos de manejo urbanístico en Puerto Rico así como un umbral de posibilidades tanto conceptuales como procesales para afrontar una revalorización de la ciudad de San Juan al filo del siglo 21. Como algunos otros municipios grandes, en virtud de la ley, el municipio de San Juan había iniciado el proceso de elaboración del Plan de Ordenación Territorial desde el 1994.

Ponemos especial énfasis en reseñar los puntos más relevantes del Plan de Ordenación, pues es en este documento, más que en ningún otro, donde se esbozan con claridad los lineamientos conceptuales y los cambios de actitudes que definieron el *regreso a la ciudad* que enfatizamos en esta crónica.

El Plan pone especial atención en los anclajes de memoria urbana de la ciudad. A diferencia de otros documentos, no trata de hacer tábula rasa de lo existente. Por el contrario hace un esfuerzo por analizar e incorporar las tradiciones urbanísticas que se habían acumulado en la ciudad. De aquí que el marco de referencia ponga especial atención a la historia de la planificación de San Juan. Se pone en perspectiva temporal el nuevo esfuerzo de ordenación. También se hizo un análisis morfológico de la ciudad y se definieron los principios y la visión de la ciudad que guía los planes de acción.

Como resultado del masivo levantamiento de datos georeferenciados ahora disponibles desde el propio Departamento de Urbanismo, el Plan describe detalladamente la condición de las dotaciones, las condiciones socioeconómicas de la población y del medioambiente. Incluye también un análisis crítico de las políticas públicas y las reglamentaciones vigentes.

POR PRIMERA VEZ EN EL SIGLO, EL MUNICIPIO DE SAN JUAN SE REPLANTEA INTERVENIR SOBRE LO YA CONSTRUIDO

Las secciones más relevantes del Plan son aquellas donde se enuncian *las políticas públicas desde la nueva visión de ciudad.* Quedan pormenorizadas en los siguientes asuntos: patrimonio natural, urbanismo, patrimonio histórico, desarrollo económico, vivienda, infraestructura, transportación, conservación de energía, participación ciudadana, y reglamentación. Para ello, el Municipio reclama nuevas competencias en materia de ordenación esbozadas en la Ley de Municipios Autónomos. Es en esta sección donde se define el Proyecto de Ciudad adoptado por la administración municipal: *La concretización física de esta visión y las políticas públicas que la sustentan se plasman en el Proyecto de Ciudad como plano prospectivo de la ciudad posible. Este escoge y articula las tres iniciativas fundamentales del Programa de Actuación: (1) conservación, (2) revitalización, rehabilitación y repoblamiento de los centros y distritos urbanos y el (3) redesarrollo de sectores estratégicos del territorio municipal.*[66]

En la decisión de la Junta de negar la aprobación del Plan se encapsula uno de los debates más interesantes en torno a la planificación urbana en el Puerto Rico contemporáneo. Se trataba de dos maneras, en ocasiones compatibles, en otras desencontradas, de conceptualizar y proyectar la planificación de la ciudad. Una, heredera de los lineamientos de planificación encarnados en la Junta de Planificación de Puerto Rico y sus instrumentos y otra que emergía del concepto de ordenación, presente en la Ley de Municipios Autónomos, pero cuyo significado pleno planteaba un choque de trenes con la lógica y el vocabulario del modelo de planificación preconizado por la Junta.

Las primeras dos etapas del Plan de Ordenación, certificadas por la Junta durante la administración del alcalde Héctor Luis Acevedo, no transgredían, al parecer las bases conceptuales oficializadas y sacralizadas de la planificación puertorriqueña. El *Avance*, documento que resume la tercera etapa y que se trabaja por el nuevo Departamento de Urbanismo, sí.

Conforme a la evaluación de la Junta de Planificación, y siguiendo las recomendaciones de la propia Junta presentadas en diciembre de 1996, la nueva administración del municipio de San

políticas públicas

DESDE LA NUEVA VISIÓN DE CIUDAD

PATRIMONIO NATURAL

URBANISMO

PATRIMONIO HISTÓRICO

DESARROLLO ECONÓMICO

VIVIENDA

INFRAESTRUCTURA

TRANSPORTACIÓN

CONSERVACIÓN DE ENERGÍA

PARTICIPACIÓN CIUDADANA

REGLAMENTACIÓN

Avance del Plan de Ordenación Territorial para San Juan, 1999
Archivo Fundación Sila M. Calderón

Juan procedió a revisar la tercera fase de *Avance del Plan de Ordenación Territorial.* Destaca en esta revisión el importante papel de la participación de la ciudadanía y las Juntas de Comunidad de San Juan, elemento que no había estado tan presente en las dos etapas anteriores. La revisión del *Avance* contó con la colaboración de las once Juntas de Comunidad. También se consultó a los ciudadanos a través de 70 grupos focales compuestos por residentes y comerciantes representantes de los sectores geográficos de cada Junta de Comunidad y de residentes de las Comunidades Especiales. Otros sectores profesionales participaron a través de mesas redondas de discusión con urbanistas, desarrolladores, financieros y economistas. [67]

Se procedió también a recabar información recopilada y análisis de numerosas entrevistas, investigaciones y visitas a agencias gubernamentales. A su vez, el equipo de trabajo contó con el asesoramiento del Comité Técnico Asesor, un grupo de profesionales especialistas en las áreas de Urbanismo, Transportación, Economía, Reglamentación y Sociología Urbana. Se radicó formalmente un *Avance* revisado en junio de 1998.

DE UNA FORMA VISIBLE Y CONCRETA, SAN JUAN COMENZÓ A TRANSITAR DE UN PARADIGMA URBANO A OTRO

Tras un periodo de intensas argumentaciones, el 10 de septiembre de 1999, la Junta de Planificación emitió una Resolución dando el visto bueno condicionado. Finalmente, el 24 de marzo de 2000 la Junta rechazó la fase de *Avance* y dejó en suspenso la tercera etapa del Plan para que el Municipio conformara el Plan de Ordenación a sus recomendaciones.

El Municipio entonces radicó un Interdicto Especial Permanente ante el Tribunal para que la Junta cese y desista de imponerle normas, criterios y condiciones arbitrarias e irrazonables y que se dejara sin efecto la Resolución denegatoria de la Junta de Planificación.

El equipo de trabajo de la Oficina del Plan Territorial comenzó los trabajos conducentes a la preparación de la cuarta etapa del Plan Final, mientras se dilucidaba el pleito incoado en los tribunales. Entre los trabajos realizados en la cuarta etapa estuvo la producción de los Planos de Ordenación y demás planos y mapas normativos requeridos por Ley y la preparación de las fichas de los 90 planes de ordenamiento especial que habían sido anunciados en el *Avance*. Estos incluían las áreas de conservación, las áreas de desarrollo urbano extenso, las Comunidades Especiales, los ámbitos de las estaciones del Tren Urbano, las zonas industriales y los principales corredores comerciales de la Capital.

La obra pública en la ciudad de entresiglos se inició con un plan a medias cuya primera fase todavía se correspondía con los planes maestros o los planes de uso de suelos, tal y como se postulaban desde la Junta de Planificación en las décadas de los setenta y ochenta.[68] El desplazamiento hacia una nueva conceptualización del espacio urbano, definida esta vez por los planes de ordenación territorial, tal y como se planteaba en la Ley de Municipios Autónomos, ocurre en medio de un litigio con el gobierno central que no se resuelve a lo largo del cuatrienio. Sin embargo, la municipalidad asumió el modelo de ordenación en el diseño y manejo de los proyectos públicos.

De una forma visible y concreta, San Juan comenzó a transitar de un paradigma urbano a otro. Este nuevo paradigma queda expresado en la propia conclusión del Plan de Ordenamiento:

> *Al moldear los lugares que habitamos mediante mecanismos de planificación e intervención, los procesos de transformación de nuestras ciudades inciden directamente en la forma que vivimos, en la manera como nos relacionamos social y culturalmente, y en nuestra calidad de vida.*
>
> *San Juan ha sufrido una transformación radical en los últimos cincuenta años. La elaboración del Plan Territorial constituye una oportunidad extraordinaria e inaplazable para reflexionar sobre la ciudad existente y definir su futuro. El proyecto de ciudad no sólo intenta resolver los problemas actuales del territorio sino que necesita despertar en la comunidad sanjuanera la esperanza y la ilusión de un verdadero proyecto de futuro.*
>
> *El Plan de Ordenación Territorial representa para San Juan, la oportunidad de proyectar, por primera vez, una visión de ciudad de manos de la Administración Municipal, la entidad política más cercana a los ciudadanos que representa.*
>
> *El Proyecto de Ciudad del Plan Territorial de San Juan es el producto de la interacción entre los técnicos y urbanistas, los grupos focales y cívicos, las Juntas de Comunidad del Municipio de San Juan y las demás agencias concernientes del Gobierno Central. El Plan es el resultado de una visión urbanística nutrida e informada por las principales preocupaciones y aspiraciones de la comunidad de San Juan.*
>
> *El conjunto de políticas y la visión de ciudad que recoge el Plan, la nueva clasificación del suelo y la transferencia de competencias, hasta ahora responsabilidad de la Junta de Planificación y la Administración de Reglamentos y Permisos, viabilizarán la realización del Proyecto de Ciudad para que esa voluntad política nos deje como legado un nuevo San Juan.*[69]

El cambio de paradigma constituyó una plataforma que movilizó la profesionalización de la planificación urbana en San Juan. Una nueva racionalidad que percoló a muchos sectores de la población, desde las comunidades de escasos recursos llamadas a la participación, pasando por las clases medias convocadas por los nuevos estándares de calidad, hasta llegar a sectores empresariales que vislumbraron posibilidades de desarrollo en el rescate de la ciudad. En términos de las tradiciones de planificación urbana, San Juan en el entresiglos evidenció la posibilidad de transitar hacia concepciones más contemporáneas de hacer ciudad, en las que los valores locales convergen con el horizonte global sin menoscabo.

Plan de desarrollo "Parque del Siglo 21", 1999
Archivo Fundación Sila M. Calderón

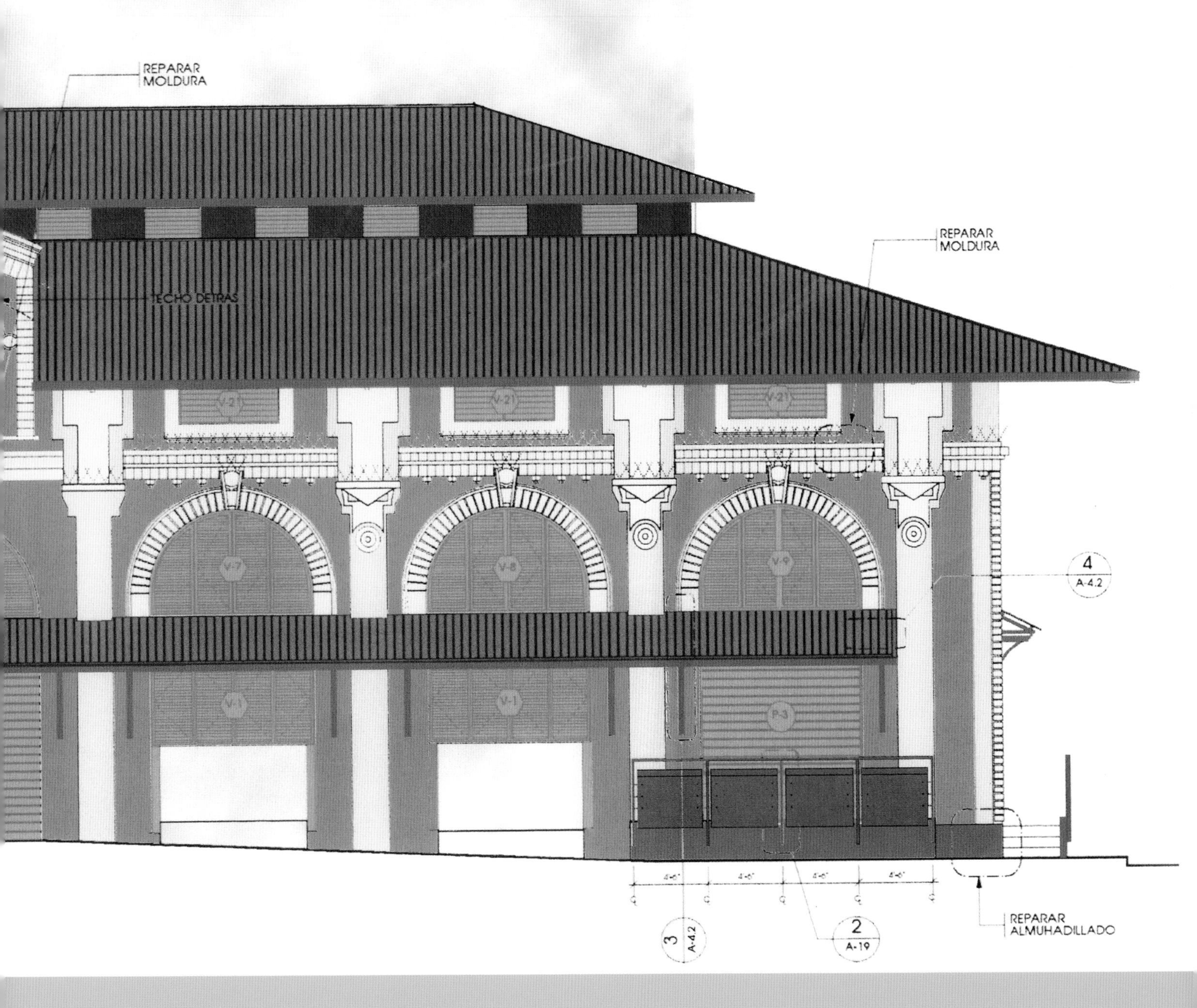

Dibujo remodelación de la Plaza del Mercado, Santurce

Capítulo 4

ARTE Y CULTURA EN LA CIUDAD

La estética de lo urbano

Desde la antigüedad hasta nuestros días, la estética ha conformado las ciudades, apegada en momentos a propuestas religiosas, otras, a ejercicios cívicos de élites políticas y/o sociales, otras, a designios populares de identidad.[70] San Juan no ha tenido un proceso consistente de embellecimiento a través del arte. Sus señas de identidad estética han estado ligadas desde hace varios siglos a la arquitectura e ingeniería militares que organizaron el carácter escenográfico-monumental de la ciudad antigua.

Grabado de Antonio Maldonado. Publicado por el Municipio de San Juan en el portafolio Ciudad Infinita, *2000*

El peso simbólico de lo militar

La portada del *Puerto Rico Ilustrado* correspondiente al 10 de enero de 1886 encapsula la función protagónica de la arquitectura de fortines y murallones en la hechura de la imagen estética de la ciudad, aunque ya San Juan había dejado de ser para todos los efectos prácticos una plaza militar. En el próximo siglo y a pesar de intervenciones que modificarían el trazado urbano desde propuestas estéticas más civilistas, el peso de la escenografía militar se confirmó como insustituible.

Garitas Sanjuaneras
Jack Boucher, HABS

Ya desde la década de los treinta del siglo pasado, las campañas turísticas auspiciadas por el gobierno, resignificaron la garita como una especie de logo de la ciudad, que muchos extienden al resto del país. Esta consolidación simbólica puede apreciarse en *El Libro de Oro de Puerto Rico*, publicado en 1938 bajo los auspicios del gobernador Blanton Winship, empeñado en que San Juan se convirtiera en una meca del turismo tropical. Aún en nuestros días, cuando se piensa en San Juan la imagen que aflora es la mayor parte de las veces es la de la garita que atisba en el horizonte.

Ahora bien, la primacía de la estética militar nunca fue hermética. Ciertos proyectos de embellecimiento urbano –de corte más cosmopolita– emergieron a lo largo del siglo 19. Es interesante revisitarlos por lo que anticipan o por lo que se apartan de las decisiones estéticas que se toman en nombre de la ciudad en el entresiglos 20-21.

la plaza militar

El embellecimiento de la plaza militar

En 1854, como iniciativa del municipio de San Juan, se ubicó un conjunto de cuatro estatuas en el Paseo de La Princesa. Fungió como eje de entrada al Jardín Botánico durante la gobernación de Fernando de Norzagaray, siguiendo el modelo del Paseo del Prado en Madrid diseñado por el arquitecto Ventura Rodríguez. Eran los balbuceos de una gramática estética civilista, es decir, no vinculada al paradigma sostenido por el establecimiento militar y que solía imponerse en los proyectos municipales.[71]

Décadas después, Alejandro Tapia y Rivera señalaba en sus memorias que la Antigua Plaza de Santiago *ha sido llamada Penélope por las muchas variaciones que ha sufrido.*[72] Entre las décadas de 1860 y 1890 se propusieron y realizaron al menos seis proyectos de reforma. En el centro de la Plaza se ubicó la estatua al primer gobernador Juan Ponce de León. Esta escultura, de autor desconocido, presidió el espacio hasta el IV Centenario cuando se trasladó a su actual emplazamiento en la Plaza de San José. Esa iconografía idealizada del primer gobernador y descubridor del territorio de la Florida, hoy parte de Estados Unidos, ha permanecido como imagen icónica de un personaje del que no se tiene referencia gráfica.

La efeméride del Cuarto Centenario propició la instalación de la estatua de Cristóbal Colón (1894), obra monumental que presagió un eje de crecimiento para la ciudad.[73] La pieza escultórica, obra de Aquiles Canessa, redenomina la antigua Plaza de Santiago que, en adelante, se conocerá con el nombre del Almirante. Con gran

Año I. Puerto-Rico, 10 de Enero de 1886. Núm. 2.

PUERTO-RICO ILUSTRADO

Lit. Boletín, P.R.

PERIODICO ENCICLOPEDICO.

BASES Y CONDICIONES DE LA SUSCRICIÓN.

SE ADMITIRÁ SOLO POR MESES ADELANTADOS.

IMPORTE MENSUAL.

50 centavos en la Capital.
60 en la Isla.
75 en la Isla de Cuba, Península y extranjero.
Número suelto: 15 centavos.

El PUERTO-RICO ILUSTRADO se publicará semanalmente; todos los domingos.

La Redacción responde de todo lo que aparezca en las columnas del PUERTO-RICO ILUSTRADO. Por lo mismo se reserva el derecho de revisar y publicar, ó no, sin devolución de originales, los escritos que se le envíen para su inserción.

La correspondencia para el PUERTO-RICO ILUSTRADO deberá ser dirigida á la Redacción del mismo, casa número 15, de la calle de San Justo. SAN JUAN.

Paseo de la Princesa, San Juan, Puerto Rico
Coleccion Paris-Bazar

Arriba: Encabezamiento de Puerto Rico Ilustrado, 10 de enero de 1886
Biblioteca UPR, Río Piedras
Sobre estas líneas: Paseo de la Princesa. Postal de López Cepero, 1890c
Colección Humberto Costa

PUERTO RICO. — MANIFESTACIÓN POPULAR EN HONOR DEL GENERAL CONTRERAS, EL DÍA DE SU REGRESO Á LA PENÍNSULA.

(De fotografía de D. Feliciano Alonso.)

Arco festivo dedicado al gobernador Juan Contreras, 1888
Colección Humberto Costa

Arco conmemorativo a la visita de la Infanta Eulalia, 1893
Puerto Rico Ilustrado.
Biblioteca UPR, Río Piedras

ARCO LEVANTADO POR EL EJERCITO Y VOLUNTARIOS EN HONOR DE SS. AA. INFANTES DE ESPAÑA.

belleza didáctica

La belleza didáctica

Con el cambio de soberanía, se generalizó la instalación de estatuas y bustos de próceres en plazas, parques y en la recién fundada Universidad, afirmando el lineamiento didáctico y cívico que proponían los seguidores del movimiento *City Beautiful*, popularizado a partir de la Exposición Colombina en Chicago de 1893.[74]

El *City Beautiful* proponía que el embellecimiento de la ciudad era un elemento esencial en la moralización de la ciudadanía. Siguiendo este principio, se llevaron a cabo grandes proyectos de estética urbana en ciudades como Chicago, Washington D.C., San Francisco; y en Manila y San Juan, las capitales de las nuevas posesiones norteamericanas. De ese periodo son sendas estatuas de Baldoriorty de Castro ubicadas en dos lugares de relevancia urbana. En 1915 se inauguró en la Universidad el busto que domina la Plaza que lleva su nombre y en 1918 se develó en San Juan la estatua del prócer en el nuevo espacio público generado por la demolición de la Iglesia y el monasterio franciscano contiguo. Otra instancia es la estatua de Abraham Lincoln en la esquina suroeste de la Escuela que lleva su nombre en el recinto murado de San Juan. La obra escultórica de la ciudad reflejaba así los intentos de cohabitación de símbolos culturales hispánicos y anglosajones que corrió mejor suerte en los terrenos de la nomenclatura de las escuelas que en la colocación de estatuas.

El plan urbanístico Parsons (1925) de la firma de Chicago Bennet, Parsons & Frost, que seguía los preceptos del *City Beautiful*, definió varios espacios monumentales en la ciudad. En la avenida Ponce de León entre el Teatro Municipal y el Parque Muñoz Rivera se diseñó una vía ceremonial que sirvió de eje para alinear grandes edificaciones cívicas como el Casino de Puerto Rico, la YMCA, el Ateneo Puertorriqueño, la Biblioteca Carnegie y el Capitolio. Frente a este último, que constituyó la pieza monumental más relevante, se instaló el Monumento a la Victoria que conmemoraba los caídos en la Primera Guerra Mundial.

EL EMBELLECIMIENTO DE LA CIUDAD COMO UN ELEMENTO ESENCIAL EN LA MORALIZACIÓN DE LA CIUDADANÍA

Así como ocurrió con las estatuas de Cristóbal Colón a fines del siglo 19, los monumentos a la Victoria en la gran guerra proliferaron en cientos de ciudades en el mundo entero. San Juan se integraba así a ciertas coordenadas estilísticas de embellecimiento urbano ligadas a propuestas cívicas que, por cierto, no desdeñaban la referencialidad bélica. Durante el siglo 20, las guerras motivaron la construcción de monumentos que honraban la memoria de los soldados. Aparte del citado monumento a la Victoria, se encuentra el monumento al Regimiento 65 de Infantería, luego de la Guerra de Corea, ubicado al inicio de la avenida que lleva su nombre en Río Piedras.

En Río Piedras, el plan de Parsons definió otro espacio cívico-monumental para la ciudad. La firma diseñó el núcleo principal del recinto universitario y su vinculación con el resto del incipiente tejido urbano alrededor de la finca frutera que albergaba al centro docente. Eventualmente, en dos semicírculos ajardinados del nuevo campus, se instalaron dos esculturas-monumento dedicadas a Eugenio María de Hostos y Luis Muñoz Rivera, ambas en estilo Art Deco.

En orden de reloj:
Monumento a Eugenio María de Hostos, 1938
Universidad de Puerto Rico, Río Piedras
Álbum de Oro de Puerto Rico, San Juan

Monumento a la Victoria de la Primera Guerra Mundial. Puerta de Tierra, 1938
Álbum de Oro de Puerto Rico, San Juan

Busto a Román Baldorioty de Castro en UPR, 1915
Puerto Rico Ilustrado. Biblioteca UPR, Río Piedras

El arte tutelado por el Instituto de Cultura Puertorriqueña

A partir del proceso de restauración tutelado por el Instituto de Cultura Puertorriqueña iniciado en 1955, se instala una serie de esculturas conmemorativas en diversos puntos de la ciudad. Al costado de la Puerta de San Juan, frente al muelle original de la ciudad, se coloca un busto de la Reina Isabel La Católica. En la década de 1970, se suman otras esculturas. De estos esfuerzos, el más valioso es el conjunto de *La Rogativa* de Lindsay Daen, cuya intervención es una apropiación y resignificación de uno de los bastiones de la muralla que se devuelve a la ciudad por vía del arte. La pieza conmemora la victoria de los puertorriqueños sobre los ingleses en 1797.[75]

Otras esculturas de inclinación histórica son las que se alinean a la avenida Ponce de León en el Parque Muñoz Rivera. Allí se colocaron estatuas o bustos de los personajes que lideraron el proceso de independencia en Latinoamérica. Al inaugurarse la autopista Baldorioty de Castro se dedica una nueva escultura al prócer en la ribera sur de la laguna de El Condado. Es un ejemplo de arte público diseñado para verse desde el automóvil, signo de tiempos nuevos que merman el papel del peatón.

El Quinto Centenario

La conmemoración del Quinto Centenario, tutelada bajo las adminstraciones del gobernador Rafael Hernández Colón (1984-1992), propició un ciclo de reconversiones fundamentalmente en el Viejo San Juan. Se aprovechó para dotar a la ciudad de espacios lúdicos y conmemorativos. Se recuperó el antiguo Paseo de la Princesa y se agregó una serie de estatuas neoclásicas del escultor Tomás Batista adosadas a la muralla. El paseo culmina con un conjunto escultórico y fuente titulada La Herencia de las Américas que se ha convertido en lugar de visita en los paseos familiares del domingo. Una escultura de la alcaldesa Felisa Rincón de Gautier sentada en un banco observa a visitantes y ciudadanos que descubren nuevos panoramas y recorridos.

Sin embargo el proyecto urbanístico más emblemático fue la recuperación de todo un barrio intramuros en el Viejo San Juan. El barrio de Ballajá contaba con los monumentales edificios neoclásicos que hasta entonces estaban en desuso tras el traslado de la titularidad del Ejército de Estados Unidos al Estado Libre Asociado. Se trataba del Hospital de la Concepción el Grande, el Asilo de Beneficencia, el Manicomio y el Cuartel de Ballajá. Este conjunto neoclásico, que define un estilo en San Juan, estaba deteriorado y en su entorno se había demolido el tejido urbano que constituían las antiguas viviendas del barrio.

En ocasión del Quinto Centenario se acometió la restauración de todo el conjunto y el rediseño de un gran espacio escalonado de cara al Atlántico que había quedado degradado y convertido en estacionamiento informal tras la demolición en la década de 1940 de tres manzanas de viviendas en el Barrio Ballajá.[76] El proyecto no estuvo exento de controversias toda vez que era la primera vez en mucho tiempo que se intervenía con el tejido urbano en una escala significativa.

Dos corderos, simbólicos del nombre de la ciudad, de la autoría de Víctor Ochoa, conducen a la pieza central: el hoy famoso Tótem Telúrico, pieza de Jaime Suárez. En un espacio aledaño se incorpora una estatua de Eugenio María de Hostos por José Buscaglia. No obstante las polémicas, la ciudad comprobó que estaba lista para asumir nuevas estéticas y alejarse de los viejos preceptos que por décadas regimentaban cualquier intervención en la antigua ciudad.

arte para una nueva ciudad

Arte urbano para una nueva ciudad

Al anunciarse el Proyecto de Arte Urbano para la ciudad de San Juan en mayo de 1998, se planteó algo mucho más que una nueva dotación de esculturas. Se trataba de un programa que dialogaba con otras iniciativas de la municipalidad que intentaban renovar el concepto de espacio público, potenciar la identificación ciudadana y definir parámetros actualizados y sustentables de desarrollo y ocupación territorial. Por otro lado, se articulaba en función de marcos no tradicionales de manejo del arte urbano en Puerto Rico. Se apelaba a lugares inesperados, no necesariamente los predecibles espacios centrales. Tampoco se trataba de esculturas conmemorativas; en la gran mayoría de los diseños se percibía un elemento lúdico. Parecían interpelar a edades diversas, lo que constituía un novedoso beneficio cultural. En los diseños las referencias eran básicas (elementos, animales, plantas, tradiciones) por lo que estaban liberadas de convocatorias ideológicas o adscripciones políticas que suelen crear fisuras.

El recién creado Departamento de Urbanismo del Municipio organizó su proyecto amplio de intervención en torno a los cuatro centros urbanos que constituían los espacios tradicionales de centralidad en la ciudad: El Viejo San Juan, El Condado, Santurce y Río Piedras. Dentro de esas zonas amplias, se pensó y gestionó el componente de arte público con hincapié en espacios que se querían resignificar y potenciar como nuevos lugares de referencia y participación ciudadanas.

La conceptualización, manejo e integración de Arte Público al tema urbano municipal comportó también nuevas adscripciones municipales que trascendían la gestoría cultural tradicional. Nuevas formas de organizar el trabajo y talentos nuevos y de perfil no acostumbrado se integraron al novel proyecto. Se abrieron las puertas a un grupo de jóvenes profesionales la mayoría de los cuales se había mantenido al margen del circuito de los despachos de arquitectos locales o sencillamente acababan de salir de la escuela profesional. En ese sentido, señala Miguel Rodríguez, uno de estos jóvenes arquitectos: *no contábamos con la credibilidad que otorgaba el ser la cara conocida detrás de algún proyecto, ni habíamos hecho de Puerto Rico la referencia contra la cual proyectábamos un país alterno.*[77] Cabría añadir, en el caso de San Juan, una ciudad *de otro modo.*

Había que ampliar los marcos de entendimiento para calibrar las decisiones en torno a la imagen estética de la ciudad. Con respecto a San Juan se requería diseñar una estrategia viable e implantarla con rapidez. Como laboratorio de gestión pública, el proyecto del Tren Urbano –donde varios de los profesionales del Departamento de Urbanismo habían colaborado–

proporcionó una gran lección. Para remodelar la ciudad y reclamarla como pieza de urbanidad, había que desfamiliarizarse de ella, y de la óptica suburbana. Al respecto, Rodríguez apunta: *Desde el suburbio, la propuesta de Sila M. Calderón era excéntrica, y ella misma lo era también, y supo convertir esa diferencia en capital carismático mientras estuvo en San Juan. Después de todo, hay política en lo bello como hay política en lo útil. La recuperación urbana de San Juan tendría en el objeto estético un activo inesperado.*

La misión de Arte Urbano, en su sentido más claro, era derivar belleza a partir de la experiencia cotidiana de objetos estéticos producidos por artistas locales. Para 1997, los arquitectos José Toro y Gonzalo Ferrer, contratados por el municipio de San Juan para la identificación de los lugares de ubicación, propusieron treinta recintos municipales para esculturas públicas.

Los propósitos especificados en la convocatoria unían objetivos urbanos y objetivos artísticos como puede apreciarse:

1. La transformación de diversos espacios públicos a través de la capital mediante la intervención de destacados y talentosos escultores puertorriqueños (el concepto incluía artistas residentes en el país).

2. Enaltecer y embellecer una serie de lugares públicos de prominencia y gran visibilidad en la ciudad, propiciando el disfrute de los ciudadanos con esculturas públicas monumentales que contribuyan a darle mayor identidad urbana a estos espacios y arraigarlos en la memoria colectiva de sus habitantes.

3. Deleitar a los residentes y visitantes de San Juan con obras de escala urbana que despierten la sensibilidad y la imaginación del transeúnte.

4. Dotar a la ciudad con una importante y valiosa colección de obras representativas de lo mejor de nuestra producción escultórica y que reflejen las tendencias artísticas contemporáneas.

5. Proyectar a la ciudad como capital cultural y vitrina de nuestra mejor tradición artística.[78]

Los artistas recibieron el listado de los recintos escogidos y los criterios temáticos y especificaciones

REMODELAR LA CIUDAD Y RECLAMARLA
COMO PIEZA DE URBANIDAD

técnicas que enfatizaban la consonancia con la realidad físico-espacial e histórica del entorno. Dos meses después de lanzarse la convocatoria, un jurado, compuesto de críticos de arte, coleccionistas, artistas y profesionales de la arquitectura y el urbanismo, evaluó unas 170 obras. En diciembre del mismo año se anunciaron las 25 adjudicaciones. El proyecto recibió un Premio de Honor de parte de la Asociación Internacional de Críticos de Arte. Para octubre de 2000 ya se habían instalado 14 obras, 3 estaban listas para instalación y 8 en construcción.

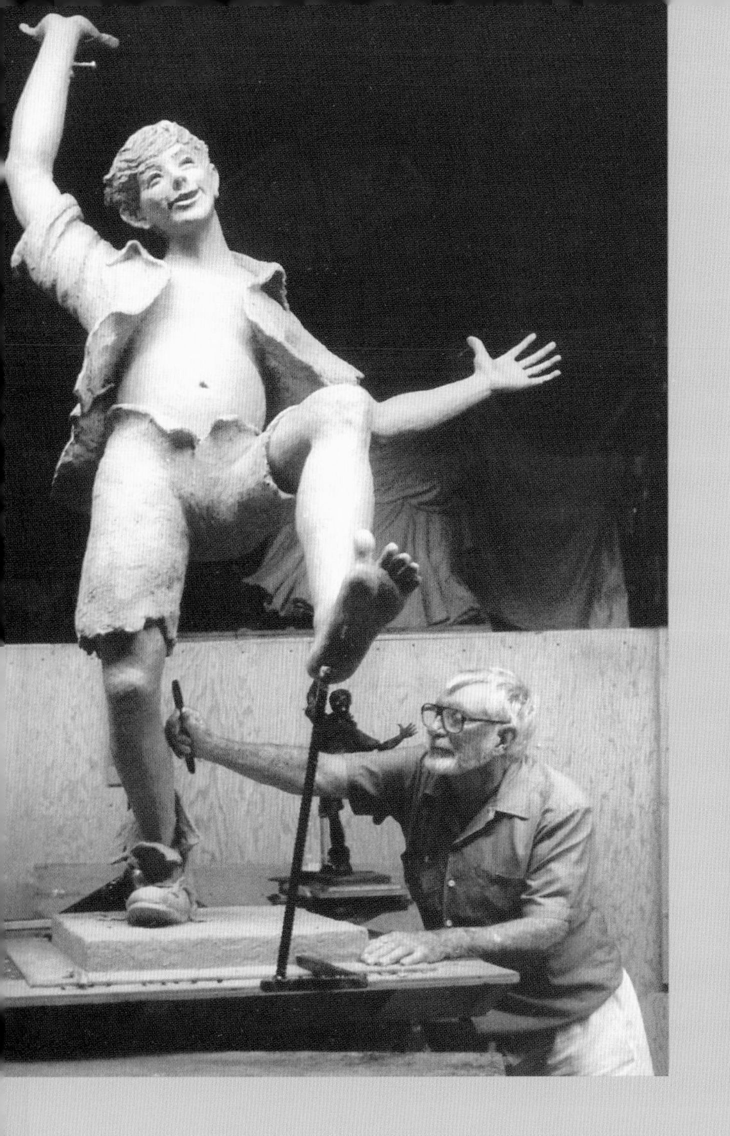

Juan Bobo y la Canasta. *Lindsay Daen, San Juan*

Sillas gatas de cinco patas. *Dafne Elvira, San Juan*

La Nave de los Pingüinos. *Jorge Zeno, San Juan*

Archivo Fundación Sila M. Calderón

RECORRIDO POR LA CIUDAD: *geografía y estética*

Viejo San Juan

En la Plaza de la Catedral o Plaza de las Monjas, tres esculturas de bronce proponen un contrapunto audaz a la estructura religiosa. A ese ancestral espacio público de la ciudad, ya definido en el siglo 16, se le añadieron esculturas que no aludían a los nobles edificios que conforman sus fachadas sino que plantean un gesto lúdico, asociados a la niñez. La Plaza, frente a una sede de veneración religiosa, se torna también en un lugar de fantasías y sueños que dialoga con el Museo del Niño, instalado a pocos metros. Tituladas: *El Gato Girafo* (de 8 pies de altura), *El Gallo Luna* (de 8 pies de altura) y *La Nave de los Pingüinos* (42" x 21" x 48"), se levantan sobre discretas bases de hormigón en varios puntos de la plaza. Un diseño de paisajismo para la plaza y de iluminación para las esculturas se incluye en esta propuesta. Su autor, Jorge Zeno, es pintor, grabador y escultor. En la IV Bienal de San Juan del Grabado Latinoamericano y del Caribe obtuvo un premio por la xilografía *La profecía* (1979). Sin abandonar los medios de pintura y gráfica, incursionó en el medio de escultura desde 1992.

Al sur de la ciudad murada, en el Bastión Las Palmas, se ubicaron dos esculturas-banco de la artista Dafne Elvira. El lugar está en eje con la calle San José y constituye una propuesta moderna que redefine un lugar antiguamente militar ahora recuperado como espacio público. Denominadas por la escultora como *Sillas gatas de cinco patas*, aluden al conocido refrán popular que insiste en encontrar dificultades donde no las hay. La pieza y su nombre proveen otro mensaje: el arte público no está reñido con los saberes y representaciones del pueblo. El conjunto escultórico consiste en dos sillas fundidas en bronce integran el tema felino en todas sus partes. Al estar ancladas sobre el pavimento del parque pueden ser utilizadas por el público como bancos. Nacida en Santiago de Compostela, Galicia, Dafne Elvira se graduó de la Escuela de Comunicación de la Universidad de Puerto Rico. Su obra es una crónica onírica de una mujer que canaliza los aspectos esenciales de la vida diaria en el Viejo San Juan, desde los pintorescos estilos de arquitectura, hasta los gatos que recorren sus calles. La artista deriva de esta imaginería intrínseca del casco de la vieja ciudad para crear un universo paralelo, surreal y folklórico, que brota de su comprensión de una ciudad de casi cinco siglos.

La antigua Plaza de San Francisco fue rebautizada a comienzos del siglo 20 como Plaza Baldorioty, aunque, en alusión a su diseño del siglo 19 se conoce popularmente como *Plaza de La Barandilla*. Casi un siglo después, se da paso a una remodelación de la plaza que incluye la demolición del arruinado edificio de la Academia Católica. Es allí donde se asienta la obra *Barandilla letrada* del artista Antonio Martorell que, como es signatura del artista, combina una propuesta de forma y color con un homenaje a la escritura y a las letras.[79]

Sin lugar a dudas, Antonio Martorell fue una de las figuras más renombradas de entre los artistas escogidos en la convocatoria de Arte Urbano. Su versatilidad artística se emblematiza en los numerosos proyectos que ha emprendido como pintor, artista gráfico y del *performance*; diseñador de escena y de ropaje en teatro, cineasta, conductor de televisión, periodista y escritor.

En 1999 Martorell había exhibido ya extensamente en América Latina, el Caribe, Estados Unidos y Canadá. Había regresado a Puerto Rico tras una larga estadía en México (1978- 1984), donde trabajó como grabador, ilustrador y productor de televisión de programas para niños.

La instalación permanente está compuesta de tres elementos, la *Barandilla letrada*, los *Muebles de domino letrados* y el *Piso letrado.* El primero es un enramado de reja en acero con de textos alegóricos a troncos, ramas, hojas y flores con aplicaciones de poemas y canciones. El segundo elemento incorpora mobiliarios para el juego de dominó con textos alusivos a la jerga del juego. El piso letrado integra textos mediante azulejos relieves y esgrafiados que citan crónicas, refranes populares y fragmentos de relatos que toman como referencia a la ciudad de San Juan.

El programa de diseño de la plaza, elaborado por la firma de arquitectos de Andrés Mignucci, respeta la huella en planta de la antigua Iglesia de San Francisco, relocaliza la escultura de Baldorioty y añade el nuevo mobiliario diseñado por Martorell. Las mesas y sillas en forma de fichas de dominó invitan a la tertulia y al popular juego. Con su remodelación, que combina las diversiones de la comunidad sanjuanera, la honra al prócer y la memoria religiosa, la plaza define una encrucijada peatonal en la vieja ciudad.

En el patio interior del renovado edificio que alberga el Departamento de Cultura de San Juan en la Calle Mercado esquina San Sebastián, se instaló la pieza *Homenaje a Casals* del artista Isaías Mojica. De dimensiones íntimas, la pieza de 4'6"de altura aproximadamente está hecha con el mármol rosado de Juana Díaz y abstrae tridimensionalmente la pose icónica del Maestro Pablo Casals y su cello.

Condado

El Condado

El cuchillo formado por las avenidas Magdalena y Ashford en El Condado se denominó originalmente como Plaza de la Libertad porque allí se instaló una copia de calidad muy menor de la Estatua de la Libertad de Nueva York. Es aquí donde se ubica una de las piezas más controvertidas del programa de Arte Urbano. *La Paloma*, como la nombró su creador, Imel Sierra, se instala en una difícil intersección vial que había devenido con los años en estacionamiento ilegal. La escultura-fuente marca de manera contundente una entrada-salida una de las áreas turísticas más frecuentadas de la ciudad. A partir de entonces el espacio se conoce popularmente como *La Paloma.*

Escultura y fuente monumental compuesta de una base triangular de cemento de donde surge el elemento vertical que sostiene varios elementos planos de acero pintado, alcanza una altura total de aproximadamente 35 pies. La base triangular tiene un largo total de 64 pies, aproximadamente. La fuente está integrada a la misma base a manera de planos de agua, ligeramente inclinados hacia los bordes del triángulo.

En 1999 Imel Sierra acababa de graduarse de Arquitectura y apenas incursionaba como escultor. Mientras instalaba la escultura-fuente en medio de la avenida Ashford, recibió insultos y elogios de mucha gente. La polémica que acompañó la instalación de *La Paloma* produjo un jugoso debate que permitió comunicar criterios y expectativas de proponentes y detractores en torno al arte público en la ciudad.

El Parque del Indio, último remanente del ya desaparecido legendario Parque Borinquen, localizado a lo largo de un enorme palmar entre la calle Loíza y el océano Atlántico, rescata un espacio público de calidad, una claraboya netamente urbana que mira al océano, principal recurso natural de una ciudad playera. Con cierto grado de incoherencia, se reubicó en el parque una vieja escultura figurativa que intenta, a pesar de su aspecto de indio Cherokee, rememorar un indio taíno. Se comisionó a la artista Dhara Rivera para que diseñara un conjunto escultórico de juegos para niños que ella denominó *Bucarabú*. Se trata de una serie de columpios, sillitas y espacios de ejercicio. Aunque existen numerosos catálogos de este tipo de mobiliario urbano que ofrecen columpios, sube-y-bajas y chorreras de plástico genérico, el proyecto de Arte Público le ofreció a la artista la oportunidad de diseñar e instalar un mobiliario único.

Dhara Rivera se estableció permanentemente en Puerto Rico en 1993. Un año antes había exhibido una muestra en el Museo de Arte e Historia de San Juan una serie de libros-objeto. Cada libro estaba realizado en un material diferente; cristal, cerámica, cuero, y en ellos se recogían elementos de la literatura de poetas como César Vallejo, Luis Palés Matos o León Felipe. En su serie de *Ositos*, utiliza el suave juguete infantil, y lo transmuta en un objeto de cemento. Lo dulce del recuerdo se entreteje con lo terrible de la infancia, lo duro de la vida, lo aterrador de convertirse en adulto. En 1999 Dhara Rivera extiende su memoria de niñez con el conjunto escultórico del Parque del Indio.

Bucarabú está compuesto de 27 elementos divididos en dos grupos y tres estructuras singulares. El grupo de piezas inflables de acero inoxidable protegidas de la corrosión incluye diez cojines pequeños montados sobre resortes con bridas para que el niño se sujete mientras se balancea, seis cojines anclados sobre la arena a manera de asiento, seis salvavidas de 24" x 24" x 6", cuatro salvavidas de 32" x 32" x 8" también anclados sobre el terreno y un salvavidas alcorque de 3' de diámetro y 8" de espesor. El siguiente grupo se titula *los Arcos*, compuesto de tres partes tubulares de acero inoxidable dispuestos en varias configuraciones con medidas que varían de 6 a 8 pies de diámetro; todos *los Arcos* están anclados a zapatas siguiendo las recomendaciones de un ingeniero estructural. Éstas son: *El Puente, El Cojín Grande* y *El Columpio. El columpio* domina al conjunto y se compone de un andamiaje tubular de acero inoxidable con un pieza pendular de acero y cemento pulido, alcanzando una altura de 14' de alto. Otro columpio para infantes, de menor tamaño, balancea al conjunto e incorpora una de las piezas inflables a su estructura de acero inoxidable. El lugar fue reforestado con nueve almendros de 15 a 20 pies de altura que le proveerán sombra al área de juegos.

Lindsay Daen, el conocido escultor de *La Rogativa*, fue un artista neozelandés invitado a Puerto Rico durante la administración de Muñoz Marín y que organizó en 1955 la primera exhibición pública de escultura en el país. Tras esa exitosa exhibición escultórica, Daen se mudó a San Juan y por los próximos cuarenta años su estudio no dejó de producir esculturas. En 1973 le fue comisionada la escultura *The Jouneyer* como parte de las celebraciones del bicentenario de la

Independencia de Estados Unidos en Filadelfia. Las piezas *Juan Bobo y la Canasta* (1999) en la Plaza Antonia Quiñones y *Joven con Pájaros* (2000) en la Plaza del Indio fueron sus dos últimas obras colocadas en lugares públicos.

Bucarabú, *Dhara Rivera. Plaza del Indio, El Condado*

Otro de los espacios urbanos que se rediseñó como acceso visual y peatonal a la playa en El Condado fue la que hasta entonces se conocía como Plaza del Ancla por hallarse allí desde 1973 un ancla de un barco militar norteamericano. El nombre oficial de la plaza es Alberto Escudero. Como ha sido el caso de muchos de los espacios resignificados por el arte, la rediseñada plazuela, que fue realizada por la firma de arquitectos de Andrés Mignucci, frente al mar adquirió popularmente otro nombre: la Plaza de los Delfines. En ella se encuentra una obra del artista Carlos Guzmán titulada *Cardumen Onírico.* Las piezas abstractas que componen el cardumen sugieren la relación múltiple de la ciudad con el mar. El propio escultor señala a propósito de su obra: *Hay en ellos una gracia, una alegría, una libertad; lo sagrado de la vida; y el poder de la creación y la recreación que tenemos los seres humanos a través del arte.*[80]

Carlos Guzmán, natural de Luquillo, se graduó en 1991 de la Universidad de Puerto Rico donde obtuvo su bachillerato en Artes con concentración en Escultura. Por algún tiempo trabajó como asistente en el taller de escultura de su maestro y también escultor, Pablo Rubio. Al momento de ser escogido por la convocatoria del Municipio, Carlos Guzmán estaba participando de la exposición Puerto Rico en París, que celebraba la incorporación del Capítulo de Puerto Rico de la Asociación Internacional de Artes Plásticas-UNESCO. Era ya un artista reconocido tras haber recibido premios del Ateneo Puertorriqueño (1991) y el Premio Artista en Residencia (1993) de la Escuela de Diseño Altos de Chavón en la República Dominicana. En 1996, fue comisionado para diseñar el monumento al ex gobernador Luis A. Ferré.

El *Cardumen Onírico* muestra seis elementos verticales de acero inoxidable coronados por piezas de este material que giran sutilmente con la fuerza del viento. Las piezas se alinean al muro que separa a la plaza del mar, tomando al horizonte como referencia.

Joven con Pájaros, *Lindsay Daen. Plaza del Indio, El Condado*

Cardumen Onírico, *Carlos Guzmán. Plaza del Ancla, El Condado*

Archivo Fundación Sila M. Calderón

Al momento de construirse la autopista Baldorioty de Castro, al final de la década de 1950, el carro ya dictaba la pauta urbana. Los ingenieros ignoraron que la avenida cercenaba un tejido urbano existente con accesos fluidos norte-sur que fueron tapiados por la vía. En su trazo a marchas forzadas fueron muchos los muñones y espacios remanentes que quedaron sin solucionar. Uno de estos fue planteado por el puente sobre la avenida Condado. En uno de los espacios perdidos resultantes de la construcción de la autopista quedó una isleta sin acceso peatonal adecuado y carente de sentido de lugar. Con *Los Centinelas* de Toni Hambleton, dicha isleta se torna una oportunidad de reforzar creativamente el papel de portal de acceso que posee el puente. Son cinco centinelas que ignoran el flujo del auto y marcan una transición entre El Condado y Santurce. El conjunto escultórico consiste de 5 estelas de hormigón con relieves en cerámica, alineadas hacia la avenida Condado, actúan como *centinelas* en el parque. Fragmentos del *El Libro del Árbol* del escritor mexicano Octavio Paz se inscriben sobre el cemento.

Toni Hambleton nació en la Ciudad de México en 1934 y reside en Puerto Rico desde 1963. Estudió Cerámica con Jaime Suárez y es co-fundadora del famoso taller Casa Candina en El Condado. Cuando se le comisionó en la convocatoria del Municipio, había tenido varias exhibiciones individuales y participado en múltiples exhibiciones colectivas nacionales e internacionales. La obra de Hambleton puede encontrarse entre las colecciones de varios museos en Europa, Japón, Corea, Australia y Puerto Rico.

El Condado fue un área mimada para Arte Urbano. En la plaza Antonia Quiñones, corazón público del vecindario, se instalaron dos nuevas obras. *Los Pasos Perdidos* de Jaime Suárez es un conjunto de caracoles que organiza el espacio en la explanada este de la plaza. Es un conjunto escultórico compuesto de una serie de 24 piezas en bronce fundido de 12" de alto 18" de largo aproximadamente, inspiradas en caracoles de mar y de tierra colocadas en arreglo reticular en la esquina noreste de la Plaza. El conjunto incluye una tarja de granito en el centro con una inscripción alusiva a un pasaje de la novela *Los Pasos Perdidos* de Alejo Carpentier.

Jaime Suárez es un arquitecto graduado de la Universidad Católica de América en Washington, D.C. y de diseño en la Universidad de Columbia en Nueva York. Al ser escogido en la convocatoria de Arte Urbano de la capital, Suárez era ya un artista consagrado que contaba con una obra pública monumental: el famoso Tótem Telúrico localizado en la Plaza del Quinto Centenario en el Viejo San Juan.

Los Centinelas, *Toni Hambleton. Portal del Condado*

Los Pasos Perdidos, *Jaime Suárez. Plaza Antonia Quiñones, El Condado*

Había representado a Puerto Rico y obtenido premios en competencias internacionales de cerámica en Europa. Su obra forma parte de prestigiosas colecciones de museos como la del Metropolitan Museum of Art, Nueva York, la Colección Mimara en Zagreb, Croacia, el Museo de la Cerámica de Arte en Faenza, Italia y en el Museo de Cerámica de Inchon en Corea.

En el costado norte de la remodelada plaza Antonia Quiñones se instaló también la ya mencionada escultura-fuente de Lindsay Daen inspirada en el cuento *Juan Bobo y la Canasta*. La obra se comisionó como parte del proyecto de remodelación de la plaza, pero se ajusta al propósito de la Convocatoria de Arte Urbano. Esta obra consta de una escultura y fuente de 8'-0' de altura aproximadamente, alegórica al mítico personaje de la tradición oral puertorriqueña. El Juan Bobo de esta versión carga alegremente una canasta en la que intenta llevar agua a su madre, sin percatarse de que la está derramando en el camino de regreso a casa, ofreciendo un jocoso pretexto para la graciosa fuente.

Santurce

Santurce

El viejo municipio de Cangrejos fue adosado a San Juan en el siglo 19. Su estructura de ciudad lineal se conformó a lo largo de la carretera central y el tranvía. A mediados del siglo 20 tuvo vocación de centro metropolitano. Decaído por varias décadas de abandono, el viejo centro se resignificó con una ingente inversión pública durante el período municipal que nos ocupa. Sus principales avenidas se arborizaron, las aceras se rediseñaron y se alumbraron con luminarias urbanas. El artista Adelino González ubicó estratégicamente en la avenida Ponce de León una serie de *bancos-cangrejos* de bronce que remiten al nombre original del barrio y que traen a la experiencia de muchos un ente que casi ha desaparecido de su cotidianidad, pero que convoca memorias populares que se encuentran a flor de piel.

Adelino González es natural de San Germán. Estudió su bachillerato en la Escuela de Artes Plásticas del Instituto de Cultura Puertorriqueña en San Juan y su maestría en escultura en la Universidad Complutense en Madrid (1982). Poco antes de comisionársele los afamados cangrejos de bronce para Santurce, González había expuesto en 1995 en una colectiva llamada *Jardín de las Esculturas* en la Universidad del Sagrado Corazón, y en el Museo de Arte e Historia del Municipio de San Juan en 1996. Es el autor de otra escultura animal: *La Novilla*, símbolo de una festividad popular en San Sebastián y que forma parte del proyecto estatal Arte Público.

En la misma avenida Ponce de León, columna vertebral que hilvana los centros urbanos del municipio, se instaló *La Marcha de las Siluetas*, obra de Luis Torruella. Estas siluetas demarcan una frontera entre el viejo Miramar y la avenida.

Es una serie de elementos planos en aluminio pintado en rojo y sujetados por una estructura interna del mismo material. La pieza tiene un largo de 260 pies y una altura promedio de 10 pies. Su ancho está limitado por las superficies de rodaje a ambos lados de la pieza. La escultura se entiende como una pantalla permeable a la vista desde ambos lados de la isleta. Se incorpora al lugar como si se tratara de un elemento vegetal, algo así como como una enredadera o un seto vivo de formas geométricas.

Sobre Luis Torruella y su escultórica de grandes escalas se señala: *Luis se ha convertido en huésped de nuestro paisaje citadino, alquimia fraguada en acero y aluminio multiformes como testimonio de esa pasión creativa...* [81]

También en Santurce, la Plaza del Mercado fue totalmente remodelada durante este período por la firma de arquitectos de Emilio Martínez. Como parte del programa de diseño, se demolieron viejas y desafortunadas adiciones al hermoso edificio. Como resultado de estas intervenciones se añadió un nuevo espacio abierto y en el se emplazaron las piezas llamadas *Aguacates (Fruta Favorita)* de Annex Burgos.[82] Se trata de cuatro aguacates que parecen haber rodado desde uno de los puestos del mercado y que ayudan a conformar un espacio de socialidad e identificación. Desde entonces al nuevo espacio se le denomina la *Plaza de los Aguacates*. La inversión pública hecha por el municipio para la recuperación del viejo edificio y el rediseño de su entorno han catapultado al sector como uno de nueva centralidad y de diversión en la ciudad.

En 1998, año de la convocatoria de Arte Urbano, Annex Burgos acababa de regresar de Nueva York y se iniciaba como escultora. Nunca imaginó que su trabajo, colocado en la Plaza del Mercado de Santurce, por iniciativa del Municipio la constituyera en una escultora de obra pública de referencia, como se comprueba en su reciente pieza *Musas*, en la plazoleta del Centro de Bellas Artes. Burgos hizo su bachillerato en la Escuela de Artes Plásticas del Instituto de Cultura Puertorriqueña en San Juan y su maestría en el Pratt Institute. Annex Burgos trabaja mucho con estéticas minimalistas y surrealistas. Está convencida de que es posible un arte contemporáneo de Puerto Rico que no sea una mímica de lo que se está haciendo en las capitales del arte sino una contribución específica no excenta de valor mundial.

El conjunto *Aguacates, fruta favorita* está compuesto de varias piezas en bronce fundido de cuatro pies de alto y tres de ancho y profundidad, aproximadamente, colocadas en arreglo informal en la esquina sur de la plazoleta de la Plaza del Mercado. Varios tonos de verde y marrón producto de un patinado inducido enriquecerán las superficies, que recibieron diferentes tratamientos de textura para representar la fruta.

Aguacates, fruta favorita, *Annex Burgos. Plaza del Mercado, Santurce*

El Parque Central de Santurce, a orillas del caño de Martín Peña, fue otro de los espacios abiertos al que se le hicieron intervenciones sustantivas. El parque se remodeló en su totalidad y en él se ubicaron piezas importantes de arte urbano como el *Oráculo* de Charles Juhasz-Alvarado, una especie de caracol gigante que parece venido del cercano caño para quedar varado en una de las explanadas del parque.

Es intención de la obra el estimular que los niños formen parte de su interior, el cual queda sugerido por la malla metálica. El efecto final es una combinación de caracol gigante y monumento constructivista, con obvias referencias a la Torre de Vladimir Tatlin, un proyecto diseñado en la década de 1920 para San Petersburgo pero que, por razones de la guerra, no pudo realizarse.

El autor, Charles Juhász-Alvarado, estudió su bachillerato y maestría en la Universidad de Yale. El primero en Artes y Arquitectura (1988) y la maestría en Escultura (1994). Luego de sus estudios, se instala en San Juan y comienza a enseñar en la Escuela de Artes Plásticas del Instituto de Cultura (1995). Sus trabajos han recorrido el mundo en exhibiciones en España, Italia, Islandia y varias ciudades en Estados Unidos.

En el Parque Central también se incluyó un gigantesco *jack* que recuerda el popular juego infantil de hace algunos años. La obra es de la artista María Elena Perales. La escultura está compuesta por un *jack* a escala monumental construido por un sistema de costillas internas, tubos y láminas soldadas en acero inoxidable. La escultura tiene una altura máxima de 20'-0", con miembros tubulares de aproximadamente 2'-0" y nodos esféricos de 3'-6". La pieza está ubicada en el Parque de los Niños, en el que también se instaló una filigrana letrada de Antonio Martorell.

Al extremo este de Santurce en la calle Park Boulevard del sector conocido como Punta Las Marías, se instalaron *Los Molinos de San Juan*, esculturas cinéticas de Eric Tabales. Hijo de viequenses, Eric Tabales vivió en Vieques hasta los catorce años. Estudió Biología marina, Tecnología médica, Microbilogía y Química, terminó su maestría en Pintura. Al ser convocado por el Municipio para realizar sus *molinos de viento* frente a la playa en Punta Las Marías exponía en el Museo del Arsenal de la Puntilla una visión estética de los virus y las bacterias más temidos de nuestros tiempos.

Los Molinos de San Juan, *Eric Tabales. Ocean Park, Santurce*

Jacks, *Maria Elena Perales y* Oráculo, *Charles Juhasz-Alvarado. Parque Central, Santurce*

Archivo Fundación Sila M. Calderón

Lunas de San Juan, *Heriberto Nieves. Plaza Torre del Municipio de San Juan, Hato Rey*

Archivo Fundación Sila M. Calderón

El conjunto de tres molinos que se mueven con el viento, culmina uno de los pocos ejes viales que existen en la ciudad a manera de malecón. Las piezas se sitúan en el extremo este del paseo, en una empalizada de arena dispuesta para ello. Cada elemento mide entre 12 a 20 pies de altura e integran una luminaria oculta que resalta las piezas de cristal en la noche contra la espectacular vista del mar y la línea de edificios del El Condado. El área es conocida por ser lugar de encuentro de deportistas del *windsurfing* y *kiteboarding*. De esa manera, el conjunto dialoga con sus aspas de colores con dos energéticos deportes marinos.

En pleno corazón del Barrio Obrero, para más señas, en la esquina sureste de la plaza Antonio R. Barceló, Teófilo Freytes recortó en metal un conjunto escultórico de personajes danzantes que el artista tituló *El Toque*. A manera de tarima colorida, su trabajo organiza el espacio en ese lugar de la Plaza y lo vincula a la música popular del barrio. Las cinco figuras de aproximadamente 11 pies de altura, representan el toque de bomba, los tambores lejanos que conforman la historia de este pedazo del antiguo Cangrejos.

Teo Freytes Molinelli nació en México en 1953. Estudió en la Universidad Interamericana en San Germán y luego en Miami Dade Community College en Florida. Freytes es un artista que utiliza tanto los medios tradicionales como la paleta de la computadora. Desde hace varios lustros, Teo utiliza los formatos digitales que se han convertido en su segunda naturaleza. Muchas de las exposiciones de Teo Freytes hasta el 1999 llevan nombres ciberespaciales y aluden también al performance de cuerpos y almas rítmicos.

Hato Rey

Hato Rey

Hacia el Sur, frente a la Torre de Gobierno del municipio en la avenida Chardón de Hato Rey se remodeló el espacio abierto y se instaló una fuente escultórica llamada *Lunas de San Juan* de Heriberto Nieves. El artista es uno de los más prolíferos escultores públicos del país. Ha sido artista residente en la Universidad de Puerto Rico, Recinto de Bayamón y embajador viajero del arte puertorriqueño. Es muy reconocida su labor en el seno de la UNESCO.

El conjunto lunar está compuesto de once discos de planchas de acero de una pulgada de espesor en arreglo circular en un radio de 25 pies y alturas que oscilan entre 3 1/2 a 7 pies. Los discos se anclan sobre cimentación de hormigón y el conjunto se incorpora al proyecto de mejoras permanentes de la plaza de la Torre Municipal. El edificio, que se encontraba en condiciones deplorables, fue objeto de una extensa renovación tanto en su interior como en su plaza circundante.

En el espacio comprendido entre el Estadio Hiram Bithorn y el Coliseo Roberto Clemente, se instaló un conjunto de fuentes diseñado por la firma *Wet Design* que realzaba el complejo de instalaciones deportivas con un motivo de aguas danzarinas.

Río Piedras

Río Piedras

Siguiendo al Sur (que como dice Joan Manuel Serrat, también existe) el centro histórico de Río Piedras fue objeto de grandes inversiones municipales. A diferencia de otros sectores de la ciudad, las obras de arte urbano instaladas en este periodo se ubicaron en espacios construidos, no como esculturas en espacios abiertos.

Al remodelarse su Plaza del Mercado, rediseñada por la firma Davis, Fúster, Arquitectos, se instalaron varias obras de arte en su interior. Fúster describe de este modo el papel del arte en el proyecto de reconstrucción de la Plaza: *Esta temática, que vio algunos de sus mejores ejemplos en suelo latinoamericano –como en el diseño del recinto de la Universidad Nacional Autónoma de México (UNAM), de 1951 a 1953, y el de la Universidad Central de Venezuela (1952-1958)- es evidente en la incorporación del tragaluz* El Platanal *en el lado norte del área abovedada, que se coordinó –desde su concepción inicial- con el arquitecto/escultor Imel Sierra.* El Platanal *pretende explorar las posibilidades lumínicas, espaciales y temáticas de los tragaluces en contextos tropicales. Su inserción en el diseño no sólo continúa el traer más luz natural al interior del edificio sino que, además, muestra que la posibilidad de colaboración entre arquitecto y artista sigue siendo vigente y necesaria.*[83]

Localizado en el área de comidas, el techo escultórico fue denominado por Imel Sierra como *El Platanal*, por los colores verdes y amarillos de su cubierta. Precisamente, la pieza abstrae la experiencia de caminar bajo un platanal y sentir el sol filtrándose a través de sus hojas translucientes. En la entrada principal de la Plaza, Zaitay Gil Rivera creó un mural dedicado al jíbaro que dialoga musical y plásticamente con *El Platanal.* En homenaje a la famosa pintura de Ramón Frade, la pieza remite también al nombre de la propia Plaza, Rafael Hernández, el inmortal jibarito. Gil Rivera era para 1999 estudiante de la Escuela de Arquitectura de la Universidad de Puerto Rico. Su interés por el arte urbano había nacido cuando se incorporó a un colectivo que pintó un mural transitorio en la verja provisional que rodeaba al Teatro de la Universidad entonces en remodelación.

En la Casa de la Cultura Ruth Hernández, se colocaron dos piezas escultóricas, una llamada *Muro Habitado* de Susana Espinosa y la otra *Erotismo Lítico en la Pared* de Ramón Berríos. El mural de Espinosa incorpora personajes míticos y elementos fantásticos a la histórica estructura creando un juego entre la historia y la imaginación. Son siete paneles en cerámica pigmentada sobre una pared de 25' 8" x 9'4" expuesta a la intemperie y separada de un muro histórico en la colindancia. Fenestraciones estratégicamente localizadas permiten observar el espacio detrás del mural el cual es accesible a los visitantes.

El Platanal, *Imel Sierra y* Mural del Jíbaro,
Zaitay Gil Rivera. Plaza del Mercado, Río Piedras

Archivo Fundación Sila M. Calderón

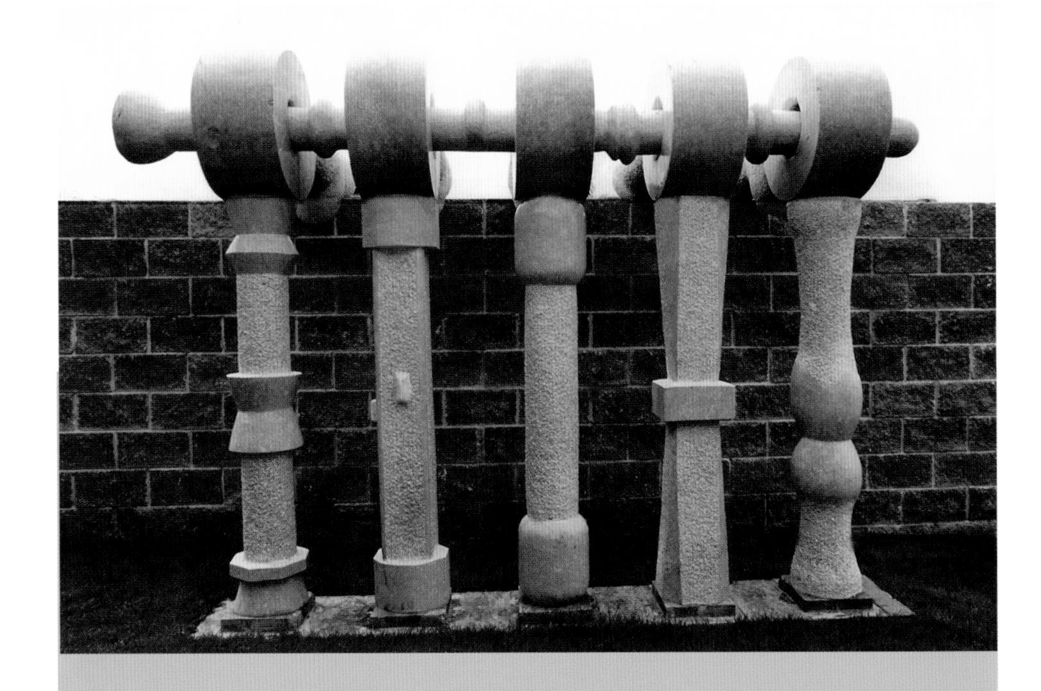

Arriba: Muro Habitado, *Susana Espinosa y* Erotismo Lítico en la Pared, *Ramón Berríos. Casa de la Cultura de Río Piedras*

Archivo Fundación Sila M. Calderón

Susana Espinosa nació en Buenos Aires en 1933 y estudió en su ciudad natal en la Academia Nacional de Bellas Artes. Reside en Puerto Rico desde 1968. Es cofundadora de Casa Candina. Al momento de comisionársele su trabajo para la Casa de la Cultura en Río Piedras había sido galardonada por la Asociación de Críticos de Arte de Puerto Rico, además de haber recibido premios en competencias internacionales en Buenos Aires, Faenza, Zagreb, y Santo Domingo. La obra de Espinosa forma parte de colecciones privadas y de museos como el Museo de Arte de Puerto Rico y el Museo de Arte Contemporáneo de Puerto Rico, Museo de la Cerámica de Arte de Faenza, Museo de la Cerámica Ichón (Corea), y el MOLA de Los Ángeles. Es miembro de la Academia Internacional de la Cerámica.

Por su parte, *Erotismo Lítico en la Pared* es un conjunto escultórico para jardín, compuesto de cinco elementos verticales esculpidos en piedra del municipio de Juana Díaz miden aproximadamente seis pies de altura, coronados por sendos dinteles que se apoyan sobre la pared en el patio de la Casa de la Cultura de Río Piedras. Los cinco elementos verticales aparentan apoyarse sobre el terreno aunque un sistema de zapatas oculto asegura la estabilidad del conjunto.

Ramón Berríos es nieto de un ebanista y tiene amplia experiencia como restaurador de antigüedades. La obra de Berríos integrada a la Casa de la Cultura en Río Piedras fue producto de muchos años de experimentación con el medio. En Altos de Chavón en la República Dominicana, trabajó en un taller de diseño de jardines japoneses. De las piedras que ha tallado, cuenta Berríos que la más dura ha sido un granito negro coreano que fue galardonado con el Primer Premio de Escultura en el 2do Simposio Internacional de Escultura en Piedra en Inchon, Corea (1999). En ese año le fue comisionada la obra para la Casa de la Cultura en Río Piedras.

el debate

Arte Urbano: el debate

Aguacates (La Fruta Favorita) de Annex Burgos en la Plaza de Mercado de Santurce y la controversial *Paloma* del Condado de Imel Sierra acapararon la discusión pública del proyecto de Arte Urbano. Annex y su escultura fueron un *hit* instantáneo en la Plaza de Santurce y ese éxito popular opaca lo revolucionario de la pieza. Aún recordamos el día que llegaron los cuatro aguacates de bronce en un camión similar al que transporta los de verdad. Todo el proceso de instalación frente a los ojos atónitos de los placeros y residentes fue un gran evento público, que más que monumentalizar el lugar, dignificó la experiencia cotidiana del sitio. La obra no tenía base y se dejaba tocar.

Al principio, Annex quería hacer un anón, el cual llamaba la *Fruta olvidada*, pero el anón era una pieza irreconocible para el público. Los aguacates, que convocan al deseo y la exuberancia, aspectos que Annex ya manejaba en su obra desde una perspectiva de crítica feminista, eran todo lo contrario: una referencia instantánea y amable. Ahora bien, esta familiaridad es complicada e incluso irónica. La pieza es paródica de la tradición misma del arte público sin que el acto enajene a una audiencia para la que su significación viene de la experiencia cotidiana: la mesa, la fonda, el almuerzo. El pedazo ausente, y la resultante raja, es una invitación al deseo, la comida, la fiesta y la plaza misma.

Plaza de Mercado de Santurce. Emilio Martínez, Arquitectos

Archivo Fundación Sila M. Calderón

Otra fue la trama desatada por la pieza de Sierra en el Condado. *La Paloma* de Imel Sierra fue posiblemente la obra que mayores controversias generó en términos eminentemente urbanos porque su llegada a El Condado desde una *periferia imaginada* constituía un ataque a una comunidad que, fiel a la centrifugación de la ciudad, se segregaba del resto de la ciudad en lugar de converger. Diferentes grupos, desestabilizados por lo que la instalación artística proponía como gesto urbano, articularon protestas ruidosas. A la pieza se le achacó crear un problema de tránsito cuando la obra ocupó el espacio de un estacionamiento ilegal que ya creaba ese problema, en el medio de la intersección de la Ashford y McLeary. De hecho, la obra se hizo sobre la base de un estudio que mejoraba la condición del área tomando en cuenta los accesos al nuevo estacionamiento del hospital adyacente, pero las construcciones de aceras y el nuevo estacionamiento galvanizaron la impresión en el público de que la culpable era *La Paloma.*

Sobre el tema, Miguel Rodríguez acota una valoración fundamental que genera la experiencia tumultuosa de su instalación: *La escala, que entonces fue descrita como apabullante, hoy parece perfecta para el sitio, anunciando las nuevas escalas de un Condado de* Ventanas al Mar *y una nueva generación de torres de apartamentos de intención monumental. Más allá de la adecuacidad o no de la pieza, su adjudicación comporta una importante modificación en torno a los parámetros que definen el concepto de arte público en Puerto Rico. Si algo plantea La Paloma y, en gran medida, todo el proyecto de Arte Urbano de San Juan, es la anacronía de que este tipo de arte debía reservarse sólo para parques y lugares abiertos.*[84]

Otra novedad valiosa del proyecto *Arte Urbano* es que se convirtió en un espacio de justicia, que inauguró la práctica de juntar generaciones y democratizar el proceso de producción y reconocimiento de valores culturales. En esta particular experiencia, sería la obra la que aportara el factor decisivo, no el artista o su trayectoria.

Arte Urbano detonó también una dinámica compleja e intranquila que ha generado una renovada manera de considerar la relación entre artistas, el Estado y los públicos. La experiencia sanjuanera permite constatar que ya no podemos manejarnos sólo dentro de la lógica del *artista indefenso y desinteresado* que solicita del Estado un subsidio que le permita crear. Según este modelo el artista se integraba a un modelo de co-dependencia que le aseguraba la subsistencia propia y por extensión a su grupo. El Estado, por su parte, garantizaba la reproducción de determinados criterios sobre la naturaleza del arte público, los modelos estéticos apropiados, la función de ese arte y quiénes eran los artistas y las obras indicados para encarnarlo.

OTRA NOVEDAD VALIOSA DEL PROYECTO ARTE URBANO
ES QUE SE CONVIRTIÓ EN UN ESPACIO DE JUSTICIA...

Si bien la inversión pública en arte sigue siendo frugal, del otro lado de la ecuación se alzan nuevos modelos de artista público en el mundo que se apartan del paternalismo estatal y del dirigismo cultural. *Arte Urbano* y luego *Arte Público*, desestabilizaron esa visión, al proponer un cuadro distinto de responsabilidades y protocolos en las que la visión edificante y política del arte no son protagónicas. En gran medida, Arte Urbano, modificó el referente trasladándolo a la ciudad misma, a la vida cotidiana de sus habitantes en lugar de dirigirlo sólo a la memoria política o histórica consagradas.

La Paloma, *Imel Sierra. El Condado*

Archivo Fundación Sila M. Calderón

Capítulo 5

Grabado de Roberto Moya. Publicado por el Municipio de San Juan en el portafolio Ciudad Infinita, 2000

LOS DESAFÍOS DE LA COTIDIANIDAD URBANA

Las políticas ciudadanas

Ser ciudadano en estos tiempos conlleva más que la pertenencia territorial y más que la pertenencia afectiva al lugar natal. Ser de San Juan o ser de Arecibo algunas décadas atrás connotaba una identidad provista por la continuidad de una familia en un lugar y la expectativa de que sus miembros permanecerían allí para desarrollar sus itinerarios de vida. Las migraciones internas y externas y la segregación entre los espacios de trabajo, de vida familiar y de ocio provocan que las ciudades, especialmente las metropolitanas, exhiban ahora distintos tipos de ocupantes que guardan con ella diferentes tipos de afiliación. De manera creciente, las sociedades contemporáneas se constituyen por ciudadanos con regímenes mixtos de obligaciones y derechos, quienes a su vez son usufructuarios y consumidores de servicios, espacios y productos.

En el paso a un nuevo milenio, este nuevo tipo de ciudadano mantiene con el municipio relaciones diferentes que remiten a una mayor diversificación cívica. Aún cuando los vecinos presentan unos reclamos básicos comunes, es también cierto que la ciudadanía se divide en poblaciones con necesidades y reclamos particulares.

Al fin del siglo 20 los sanjuaneros se definían a sí mismos como beneficiarios de servicios tradicionales que aportaban los sectores públicos, pero cada vez más eran usuarios de servicios privados, ocupantes de espacios cada vez más particulares y especializados y fungían como consumidores de productos en mayor grado intangibles y con nuevos valores de cambio.

Esta fragmentación del tejido ciudadano se genera en función de categorías como el género, la edad, los ingresos, las discapacidades, las etnias e incluso, la orientación sexual pero también en función ahora de accesos tecnológicos y de ajuste frente a los procesos globales. Las categorías no son sólo descriptivas sino operacionales. Es decir, son susceptibles de organizar políticas públicas y reordenamientos administrativos. Tampoco son categorías mutuamente excluyentes sino que, de manera creciente, se articulan como elementos en una red compleja de referencias cruzadas que exige protocolos de atención particulares por parte de los administradores, en este caso, de la ciudad.

LA ADMINISTRACIÓN CALDERÓN SE ENFRENTÓ A UNA MAYOR DIVERSIDAD A LA HORA DE IDENTIFICAR QUIÉNES ERAN SUS CIUDADANOS

La ciudadanía también presenta cuadros diferenciados respecto a carencias y posiciones dentro del mapa social del municipio. Un ejercicio municipal competente tiene que entender que si para un segmento de la población una vivienda segura es reclamo básico, para otros, la calidad del entorno construido asume prioridad. Esto, sin embargo, no quiere decir que durante el periodo que nos ocupa se atendiese la función o utilidad social para algunos y las formas y los estilos para otros. De lo que se trata es que la administración Calderón se enfrentó a una mayor diversidad a la hora de identificar quiénes eran sus ciudadanos. San Juan se había transformado en las últimas décadas del siglo en una ciudad compleja y complicada, donde ya no era posible esgrimir razonamientos tradicionales para segmentar la población utilizando viejos paradigmas de antropología social. Habría que evaluar hasta qué punto este tejido social diferenciado fue tomado en cuenta más allá de servir como información demográfica o como descripción genérica actualizada de una ciudad contemporánea.

Los medios y la ciudadanía

Por otro lado, la relación entre poblaciones segmentadas y autoridades está influenciada en nuestros tiempos por la ubicuidad de los medios de comunicación que proponen otras lógicas de reconocimiento y presión. De ahí que muchos sectores asuman como mecanismo ordinario la amenaza velada de recurrir a los medios comerciales como la radio, televisión o prensa para obtener atención a sus quejas o figurar como actores en los procesos públicos.[85]

Gobernar siguiendo la lógica y la agenda determinada por los medios es siempre un peligro que acecha a los gobiernos contemporáneos, municipales o centrales. Durante el período que nos ocupa, los medios jugaron distintos roles. Es nuestra apreciación que en ocasiones, la prensa, la radio y la televisión fungieron como procuradores asumiendo la representatividad o las voces de la comunidad o de ciertos grupos. En otras, actuaron como fiscalizadores, no siempre desde la rigurosidad esperada sino manejando impresiones, lugares comunes o información limitada. En todo caso, el papel de los medios de comunicación es fundamental a la hora de calibrar la articulación, la implantación y la evaluación de las políticas ciudadanas.

Afiche de campaña
Archivo Fundación
Sila M. Calderón

Los intereses de grupo y los intereses de la ciudad

De cualquier manera, los diferentes sectores que compiten por la atención oficial adquieren –ayudados o no por los medios de comunicación– protagonismos cívicos que son deseables en la mayor parte de los casos aunque mantienen con las autoridades municipales y estatales constituidas relaciones fluctuantes en las que se generan comportamientos y lealtades negociadas.[86]

No se debe este cuadro únicamente al patrón tradicional de fidelidades y/o ventajerías partidistas que se estimulan particularmente en los años electorales. Cada vez más, y esto debe ser tomado como un activo, los grupos adoptan espíritus comunitarios en la defensa de sus intereses y se plantan de manera compleja frente a los gobernantes. Por lo tanto, las políticas ciudadanas son más responsivas y flexibles cuando asumen parámetros de calidad y eficiencia en los servicios que reclaman las poblaciones. Cuando además, consideran como un valor agregado todos los mecanismos de retroalimentación.[87]

Tampoco podemos limitar el tema de la incorporación ciudadana a la escala discreta de las comunidades tradicionales. Si bien estos grupos constituyen el mecanismo de identificación y negociación típico, debemos asumir también que la mayoría de los ciudadanos no se adscriben a cuerpos organizados. La atomización y privatización de las vidas de los grupos ciudadanos

Comunidades Especiales. Vecinos de Caimito, 2000

Archivo Fundación Sila M. Calderón

emergentes es un rasgo de las sociedades actuales.[88] Sin embargo, lo que sería deseable –y mucho de eso se intentó en el cuatrienio bajo estudio–, es que los ciudadanos se incorporen a agrupaciones *ad-hoc* en torno a ciertos asuntos o temas de la ciudad sin abdicar a su individualidad.

El surgimiento de nuevos parámetros de equidad ha aumentado las reglamentaciones protectoras del ciudadano, bien sea por iniciativa local o federal, que obligan a políticas más inclusivas. Estas reglamentaciones atienden situaciones de discrimen, de minusvalidez, de atención especial, de marginación, pero a su vez tienen un impacto en las políticas municipales al cualificar la dotación de servicios, las asignaciones presupuestarias y las intervenciones en obras públicas, entre otros, con lo cual exigen una mayor rigurosidad tanto en la redacción de legislaciones como en su implantación.[89]

El modelo de gobierno municipal ambicionado y comenzado a ensayar en San Juan durante los años 1997-2001 planteó en sus documentos de propósito, y de manera creciente en sus actuaciones, una modificación en la articulación de políticas ciudadanas acercándose a paradigmas establecidos, con mayor o menor éxito, en otras latitudes. Toni Puig habla de Barcelona y de su apertura a nuevos tipos de convivencia y administración basada en la información, la retroalimentación y la coherencia entre necesidades y respuestas identificadas por los ciudadanos, y necesidades y respuestas identificadas por los gobernantes.[90]

LOS GRUPOS ADOPTAN ESPÍRITUS COMUNITARIOS EN LA DEFENSA DE SUS INTERESES Y SE PLANTAN DE MANERA COMPLEJA FRENTE A LOS GOBERNANTES

El período tratado en este texto es un ejemplo de cómo coexisten dinámicas que responden aún a ciudadanías tipo clientela que buscan concesiones para sus comunidades y que interactúan dentro de un contexto tradicionalmente populista con formas emergentes que se acercan a las autoridades desde una conciencia renovada de lo público y lo urbano.

Es importante señalar, además, que las políticas ciudadanas fueron objeto de escrutinio con arreglo a los proyectos centrales de gestión municipal impulsados durante el período. De dicha evaluación se desprende que en algunas áreas de gestión se avanzó más que en otras en cuanto a la incorporación de nuevas modalidades de protagonismo ciudadano mientras en otras no se atendió con la misma intensidad el tema de la incorporación y se descansó en comportamientos cívicos más tradicionales.

Un análisis somero de cómo se configuraron las nuevas políticas y comportamientos cívicos durante el cuatrienio que nos ocupa revela que algunos proyectos adelantaron más que otros en la integración de voces, opiniones y liderato de los distintos sectores a sus programas de acción.

En los otros, la integración se limitó más a la intención programática o a una integración precaria, es decir, de intención más que de incorporación. En todos los casos hay que tomar en cuenta que se trataba de experimentos inéditos que enfrentaban resistencias de mucho tipo, incluyendo, la indiferencia o el escepticismo de los habitantes, tras décadas de poca o ninguna participación en la toma de decisiones en materia de administración municipal. También, hay que asumir que en cuatro años de administración era poco menos que irreal obtener índices de incorporación que pudieran pensarse como solución de continuidad.

Si examinamos, por ejemplo, el informe de transición suscrito por el Departamento de Urbanismo, es notable el nivel de logros alcanzado en la articulación de políticas de incorporación e integración de los ciudadanos en la asignación de prioridades e identificación de respuestas al tema del espacio urbano. A manera de ejemplo que podemos extender a otros proyectos de envergadura como lo fueron los servicios de salud y el programa de Comunidades Especiales, repasemos cómo se dio el proceso de incorporación en el tema urbano.

El nuevo urbanismo y la participación ciudadana

Ya en la Ley de Municipios Autónomos (1991) se habían definido las jurisdicciones y responsabilidades en torno a los planes de ordenación territorial y a la incorporación de los ciudadanos en la articulación y evaluación de los mismos. Con la creación del Departamento de Urbanismo, la administración municipal bajo Calderón fue mucho más allá y articuló políticas y estructuras más puntuales que incorporaron la voz comunitaria.

En el Informe de Transición a final del ejercicio, se constata cómo la letra de la ley se plasmó en un procedimiento operacional más inclusivo. Así reza el texto que resume la manera cómo se concretó la participación:

> *Promover la participación ciudadana en la preparación del Plan Territorial es uno de los principales requerimientos de la Ley de Municipios Autónomos.*
>
> *El Municipio de San Juan estableció once (11) Juntas de Comunidad representativas de las distintas comunidades y sectores geográficos de San Juan. Cada Junta de Comunidad cuenta con once (11) miembros quienes son nombrados por la Asamblea Municipal por términos de 2 o 3 años. Las Juntas de Comunidad de San Juan están estructuradas como sigue:*
>
> *Junta #1 Litoral Norte (Viejo San Juan, Puerta de Tierra, Condado y Ocean Park)*
> *Junta #2 Santurce e Isla Grande (Loíza, Miramar, Alto del Cabro, Campo Alegre, Gandul, Figueroa, Tras Talleres, Minillas, Hipódromo, San Mateo, Bolívar, Buenos Aires)*
> *Junta #3 Santurce (Barrio Obrero, Villa Palmeras, Shangai, Cantera)*
> *Junta #4 Puerto Nuevo, Hato Rey Norte*
> *Junta #5 Hato Rey*
> *Junta #6 Sabana Llana Norte*
> *Junta #7 Sabana Llana Sur*
> *Junta #8 Monacillos*
> *Junta #9 Río Piedras*
> *Junta #10 El Señorial*
> *Junta #11 Cupey, Caimito*

Las Políticas ciudadanas

Un funcionario de la Oficina de Ordenación hace las funciones de enlace entre las Juntas de Comunidad y el Municipio de San Juan y cada Junta cuenta con un facilitador dentro del Departamento de Urbanismo.

Las Juntas de Comunidad actúan como unidades autónomas que demandan del Municipio la atención a los problemas más apremiantes de su comunidad (que aunque mayormente están relacionados con el ordenamiento territorial, en muchas ocasiones trasciende al ámbito de servicios). El Departamento de Urbanismo las mantiene regularmente informadas de los sucesos relacionados con la elaboración del Plan Territorial mediante reuniones, talleres y seminarios de capacitación.

El Departamento de Urbanismo, además publica un boletín mensual titulado Entérate. [91]

Ciertamente, del texto anterior no se deriva que los comportamientos de las comunidades y las relaciones con los funcionarios responsables se transformaron en un ciento por ciento o de manera automática. Lo importante es que se sentaron pautas de lo deseable y muchos de los protocolos de entendimiento y relación entre ciudadanías y cuadros administrativos se acercaron a experiencias en ciudades que tienen rango en este tipo de logros. En todas las comunidades se produjeron modificaciones visibles y niveles evidentes de apoderamiento en cuanto a su conciencia espacial y ambiental y en torno a sus derechos de intervenir en la discusión de los asuntos territoriales que les afectaban.

Quizás una de las claves para entender lo alcanzado por el Departamento de Urbanismo es recordar que esta dependencia fue un desarrollo del cuatrienio y, por ende, había mayor libertad para ser creativos. La incorporación de los habitantes era perfectamente compatible tanto con la conceptualización del nuevo departamento como con la importancia que había cobrado la calidad de los espacios en el día a día de la ciudad.

De cualquier manera, se dieron incursiones sustantivas en la incorporación ciudadana que el Informe de Transición del 2001 rescata. Algunos ejemplos son los intensos reclamos de grupos comunitarios en asuntos puntuales canalizados en las Juntas de Comunidad, así como las campañas organizadas en torno a la defensa del medioambiente, como la conservación específica de cuerpos de agua, o las reivindicaciones de grupos profesionales por la salvaguarda de patrimonios edificados, que iban más allá de los paradigmas enarbolados por el Instituto de Cultura Puertorriqueña.

Vale mencionar a manera de ejemplo concreto el activo protagonismo de las comunidades de Cupey y Caimito al sur del municipio, con respecto a la conservación de espacios abiertos, bosques y algunos de los cuerpos de agua. A partir de graves incidentes como inundaciones y desmontes masivos de bosques, las comunidades y grupos profesionales comenzaron a articular la urgente necesidad de detener la construcción indiscriminada en lugares sensitivos a las recargas de acuíferos y la conservación del estuario de la Bahía de San Juan. Las inundaciones causadas al sur del municipio a consecuencia del mal manejo de la quebrada Chiclana por parte de ciertos intereses desarrollistas, fortalecieron la disposición y combatividad de las comunidades. Estos eventos alertaron a los pobladores sobre la necesidad de acciones públicas de mucha exposición

de actualización, el Centro de Diagnóstico y Tratamiento de Río Piedras pudo manejar adecuadamente una emergencia sin precedentes.[95] Lo que se necesitaba era reponer equipos obsoletos y crear protocolos de servicios ágiles.

Por otro lado, durante la gestión de Calderón se evidenció un gran adelanto en segmentar a los usuarios y proveer servicios especializados a las poblaciones en función de sus condiciones o particularidades. Se establecieron proyectos, oficinas y procedimientos para atender de manera específica: a la población de envejecientes, la mujer, los jóvenes, los residentes dominicanos de San Juan, la población deambulante, los adictos a drogas y la población discapacitada, entre otros segmentos de la ciudadanía. Contra el discrimen por género, el municipio estableció una oficina especializada que asumió este inaplazable asunto en el organigrama de gobierno.[96]

Código de Orden Público
San Juan, 2000

Archivo Fundación
Sila M. Calderón

Junto a la Oficina de la Mujer se dan otros esfuerzos por reconocer identidades y reclamos de sectores en la gestión municipal. Ciertamente se buscó la incorporación de sectores semi-públicos como las asociaciones de Comerciantes, asociaciones de Vecinos, asociaciones de Inmigrantes, etc. pero no creemos que se haya logrado una incorporación efectiva de los sectores medios en la misión de hacer ciudad. Si bien las campañas de reverdecimiento, y otras similares tuvieron aceptación generalizada, no se tradujo en una participación sistematizada de estos grupos como socios en la ingente tarea de mejorar la calidad urbana.

Los reclamos de orden

A todos los sectores les preocupaba en mayor o menor medida el tema de la seguridad y el orden en una ciudad con los *dolores de crecimiento* en unos casos y los *dolores de envejecimiento* en otros que padecía San Juan a fin del siglo 20. El Municipio propuso como una alternativa de intervención el establecimiento de Códigos de Orden Público. Como su nombre lo indica, se intentaba caracterizar una serie de conductas apropiadas y desestimular cierto tipo de actuaciones en aras de recuperar una más sana convivencia en sectores urbanos alterados por prácticas de comercio nocturno, o simplemente por conductas impropias de grupos de personas.[97] Esta búsqueda de soluciones a problemas enquistados de comportamiento antisocial, o poco solidarios de algunos vecinos o visitantes en algunos vecindarios, no siempre fue favorecida.

Al comienzo de su implantación en los cascos de San Juan, Río Piedras o Santurce, dichos códigos no estuvieron exentos de polémica. Se advertían dos aristas en controversia: por un lado convivencia, paz y mejor calidad de vida; por el otro, una lógica de prohibiciones y reglamentaciones, muchas de ellas predicadas en la inhibición de las actividades y la criminalización de ciertas conductas. Sin embargo, a medida que fueron demostrando cierta eficacia, los códigos fueron percibidos por determinados ciudadanos como una forma legítima de aminorar problemas de sociabilidad causados por ruidos excesivos, la costumbre de beber alcohol en aceras y plazas o simplemente el descontrol de conductas inaceptables para la vida en sociedad. Particularmente, los jóvenes adultos no dejaron de cuestionar el hecho de que el prohibicionismo se tornara en la principal estrategia para propiciar el orden.

La decisión de implantar códigos es vista por Calderón *como una alternativa auscultada entre los comerciantes, los jóvenes, los turistas y los grupos religiosos.* Incluso, se logró la cooperación de distribuidoras de licor, recuerda. Para nada, asegura, se trataba de un *toque de queda.* Más bien, lo que había era el convencimiento de que San Juan debía seguir siendo una ciudad abierta. Los códigos, comenzando con el del Viejo San Juan, se sometieron a períodos de prueba. Luego de su implantación, han servido de modelo a otras adminstraciones municipales en el país.

La ciudadanía como ejercicio de poder

En todos los documentos estudiados se plantea la necesidad de apoderamiento, es decir, de intervención en la definición de necesidades, en la articulación de mecanismos de solución, mitigación o transformación por parte de los ciudadanos. Sin embargo, esta necesidad no parece verse con fuerza a lo largo y ancho del tejido social sino que es particularmente visible en los sectores menos favorecidos y que se articulan en el concepto de Comunidades Especiales.

Si se piensa que más que un problema tradicional de pobreza, el gran problema social en el cambio de siglo son las desigualdades, la gestión municipal de Calderón exhibe resultados de consideración. Por un lado, tanto en términos conceptuales como de operación se enfocó en políticas y proyectos destinados a atender los sectores pobres.[98] Por el otro lado, sin embargo, intentó superar los enfoques tradicionales en torno a la pobreza, cargados de fatalismo y actitudes paternalistas.

Ello se explica, en gran medida, por la convicción e invitación personal de la propia ejecutiva municipal, que había planteado el tema algunos años antes a propósito del Proyecto de la Península de Cantera. Al filo del siglo 21, el apoderamiento como ejercicio cívico, tal y como se representaba en las películas y documentales de la extinta División de Educación a la Comunidad (1949-1970) o limitadamente en las invasiones o recuperación de terrenos de los años 1970, no formaba parte de los factores de manejo de lo urbano y lo público. Habría que preguntarse si era posible rescatar esa versión del apoderamiento o si se trataba de atemperar el concepto y la experiencia al tipo de ciudadano/consumidor como ha sido descrito anteriormente. Igualmente, se pone de nuevo en el tapete la cuestión de si el apoderamiento puede ser dispensado o habilitado desde una instancia vertical de poder. A menudo las autoridades municipales estimulaban una participación apenas asimilada por los propios pobladores tras décadas de poca o ninguna ingerencia de participación efectiva en las políticas ciudadanas.

De todas formas, durante el periodo que nos concierne se constata una revaloración simbólica y práctica de la pobreza. No se trataba desde luego de la pobreza generalizada en el país en los años cuarenta del siglo 20. Sabemos que la pobreza urbana del fin de siglo no es por falta de despensa básica, aunque hay ineludibles problemas de mala nutrición y pobres equipamientos, que produce cuadros deficitarios no necesariamente materiales. Permea en muchos una situación de pasividad y dependencia a la cultura del subsidio. Para que se den políticas ciudadanas exitosas hay que remontar el esquema populista que terminó por devaluar el trabajo. En el caso específico del Programa de Comunidades Especiales hubo un interés de rescatar un liderato comunitario que sirviera de intermediario para potenciar ciudadanos, pero los escenarios estructurales representaban desafíos que iban más allá de la voluntad de unos líderes bien intencionados.[99]

La Alcaldesa y su administración estaban conscientes de que se gobierna mejor cuando la gente aporta parte de la solución. Es una de las conclusiones a la que llega el Mensaje de la Alcaldesa al presentar el Plan de Trabajo y Presupuesto General para el Año Fiscal 2000-2001: *Se gobierna bien cuando el ciudadano es parte de las soluciones, cuando se dialoga y se respeta.* Sin embargo, no tenemos manera de medir y calibrar cuánto de este deseo se pudo concretar en el ejercicio cotidiano de gobierno teniendo en cuenta que se trató de un período limitado y que no tuvo continuidad en la mayoría de los renglones de gobierno.

SE GOBIERNA BIEN CUANDO EL CIUDADANO ES PARTE DE LAS SOLUCIONES, CUANDO SE DIALOGA Y SE RESPETA

En el Programa de Alcaldía Abierta hay un trasunto de la gestión de Doña Fela[100] que la alcaldesa Calderón también supo ejercer con soltura. Pero, la administración Calderón no descansó sólo en el desplegado del carisma personal sino que se abocó a crear protocolos más sistemáticos de relación con los ciudadanos.

Conciliar una cultura de eficiencia y de resultados más típica del modelo empresarial con el concepto, valoración y práctica de lo público fue otro de los principios subyacentes durante este período. Se establecía una diferenciación importante con la visión paralela de la administración estatal que sesgaba hacia una degradación de lo público como espacio de la ineficiencia, de lo anacrónico y que planteaba al gobierno casi en exclusiva como un facilitador de las iniciativas privadas. Esto es particularmente cierto en el tema álgido de los servicios de salud. A través de declaraciones públicas y en los textos programáticos municipales hay una reiterada convicción de que el fin último de los programas, políticas e iniciativas de gobierno es la calidad de vida y su impacto en la cotidianidad del ciudadano y que para ello no debe haber un menoscabo de lo público.

¿Cómo organizan los departamentos y programas de gobierno municipal sus servicios en el entresiglos?

Partimos de nuestra propuesta inicial de un cuerpo ciudadano heterogéneo, con una base común de aspiraciones de servicio pero formas específicas de satisfacer esas necesidades. El recorrido por algunas de las estaciones de servicio municipal tiene como objetivo caracterizar los nuevos protocolos de atención, manejo de emergencias, mantenimiento e información que se instalaron durante el período bajo estudio. Muchos de estos protocolos no significaron mayor inversión económica pero sí algo de imaginación y reestructuración de los modos de hacer las cosas. En otros casos, se tuvo que incurrir en la adquisición de equipos, especialmente informático y de mantenimiento y limpieza para ofrecer dos ejemplos. Pero aún en estos casos, el gasto no hubiese resultado en nada significativo si no hubiese habido una voluntad de eficiencia que circuló durante la gestión municipal por la red de agencias y programas, comenzando por la propia Alcaldía.

Vivir en San Juan

La capacidad de adaptar la dispensación de servicios a poblaciones cambiantes se advierte en el Departamento de Vivienda. A medida que crecen los índices de ingresos, suelen disminuir los índices de natalidad, las personas viven más y los jóvenes tienen menos hijos. De aquí que algunos países exhiban índices menguados de crecimiento poblacional e inclusive saldos poblacionales negativos. Como en la mayor parte de las sociedades contemporáneas, excepto aquellas cuyos niveles de desarrollo son todavía muy bajos, la población de San Juan envejece. En los últimos lustros del siglo 20 ese segmento de personas de *la tercera edad,* o de *la edad dorada*, (como comenzó a denominarse a los más viejos de la pirámide) se incrementó significativamente.[101]

Una creciente población de ancianos, que por definición se hacen más dependientes, se convierten en víctimas de los cambios socio-culturales y que trastocan los valores tradicionales de atención familiar a los mayores. Cada vez más se exige de las autoridades públicas la responsabilidad de que se encarguen o al menos compartan los gastos de cuido, entre ellos de los de vivienda.

Visita de la Alcaldesa Sila M. Calderón a Villas Palmeras. Santurce, 1999

Más aún, al constituir los envejecientes el segmento poblacional que crece con mayor celeridad, se multiplican las demandas por otros servicios, entre ellos, los de recreación.[102]

El fenómeno de envejecimiento de la población se hizo aún más común en aquellos sectores geográficos centrales de la ciudad. Es decir, donde habitaron los padres de los *baby boomers* de la posguerra. A estos lugares se les empezó a denominar los sectores *maduros* de la ciudad. Para esa población de retirados que crecía sin parar y que requería de servicios diferentes, había que redirigir recursos y reconvertir viejos esquemas de actuación. Un ejemplo de esta reconversión fue el rediseño de parques y espacios de ocio en *urbanizaciones maduras* que requirieron adaptarse a las nuevas condiciones de sus usuarios. Ya no se necesitaban canchas de baloncesto ni columpios adicionales y sí espacios de ocio contemplativo y pasivo, propios para personas de mayor edad. Muchos de los viejos parques de las urbanizaciones fueron rediseñados de acuerdo a las nuevas circunstancias.[103]

Otro tanto ocurrió con poblaciones con necesidades de vivienda pero que padecían de condiciones de salud que requerían mayor cantidad de servicios, muchos de ellos en el hogar. El Departamento de la Vivienda manejó programas especiales diseñados para personas sin hogar o deambulantes, discapacitados síquicos y físicos, y para los pacientes de SIDA.

El presupuesto del Departamento de la Vivienda municipal fue durante el cuatrienio de alrededor de 40 millones de dólares al año y al igual que casi todos los programas de vivienda estatales y municipales en la Isla, estuvo sustancialmente subsidiado con fondos del Departamento de Desarrollo Urbano y Vivienda de Estados Unidos. El huracán Georges puso a prueba muchas de las políticas ciudadanas pre-establecidas y por supuesto representó una presión presupuestaria considerable, paliada en gran medida pero no completamente por las ayudas de emergencia. En medio de una grave crisis por la pérdida de vivienda de muchas familias en San Juan, la administración debió actuar con presteza y proveer los servicios y los espacios de vida para la ciudadanía afectada. A octubre de 1998 el municipio había contabilizado 13,000 viviendas con daños significativos. De ese total 743 se declararon pérdida total; sobre 8,000 fueron pérdida mayor y cerca de 4,000 tuvieron pérdidas menores. Unas 5,350 viviendas fueron total o sustancialmente destruidas en los sectores de escasos recursos de San Juan.[104]

Georges puso a prueba también la capacidad de reacción y socorro de emergencia de las agencias y programas concernidas con el desarrollo social. Además de la Defensa Civil, dos departamentos adquirieron relevancia inmediata: El de la Familia y el de la Mujer, dirigidos por Glorín Martí y Yolanda Zayas respectivamente (Zayas asumió más tarde también la jefatura de Familia), los cuales tuvieron a su cargo una gran parte del trabajo de reconstrucción junto al Departamento de la Vivienda. A los refugiados que perdieron casi todas sus pertenencias (1,341 personas) había que proveerles servicios especializados, vivienda adecuada y productos de primera necesidad.[105] De los refugios establecidos, casi siempre escuelas, hubo que trasladar a las personas a los centros comunales de los residenciales o incluso a albergues instalados por el propio municipio. Como era de esperar, en estos espacios se generaron problemas de convivencia entre vecinos con precariedades e intimidades imprevistas. Pero también surgieron situaciones de solidaridad entre los afectados. Como señala Zayas, la propia alcaldesa fue madrina de bodas de algunas uniones surgidas en ese periodo.[106]

Según los informes oficiales, los gastos extraordinarios para el proceso de recuperación fue de sobre 16 millones de dólares.[107] De éstos casi la mitad se consumió en ayudas de emergencia a los residentes, el resto se dividió en partidas para la reparación de instalaciones, recogida de escombros, compra de materiales, contratos a personal especializado, entre otras. Para Zayas, uno de los problemas sociales más apremiantes con que tuvo que lidiar la administración municipal fue el incremento lógico de deambulantes que se generó en la capital. Un creciente número de personas sin hogar comenzó a migrar a ciertas áreas de la capital. En áreas urbanas céntricas por lo general existen mejores condiciones para los indigentes que requieren de la mendicidad para alimentarse y proveerse de algunos servicios básicos. Este fue el caso de algunos sectores del Viejo San Juan, Santurce y Río Piedras.

Según Zayas, la mayoría de los deambulantes eran también adictos a drogas. Dada esta situación *nadie los aceptaba en las escasas instituciones para deambulantes puesto que no contaban con exámenes de laboratorios requeridos, ni menos aún se le prestaban los tratamientos a sus enfermedades* [108], incluida la propia adicción. El municipio intentó aminorar el problema proveyendo servicios directos en algunos espacios donde se concentraba la mayor cantidad de deambulantes, pero el asunto requería de grandes recursos financieros y organización para poder brindar servicios integrados de cierta calidad. En el área de Río Piedras se habilitó un centro de servicios con una cabida de 25 a 30 personas.

La administración estaba conciente de la enorme necesidad que había por estos centros de servicios donde se administran servicios integrados a una mayor cantidad de población indigente. Los deambulantes cuentan con la solidaridad de iglesias y organizaciones no-gubernamentales, muchas veces mejor motivados y preparados para lidiar sin las trabas y procedimientos burocráticos que deben observar las autoridades públicas. Sin embargo, la magnitud del problema y la precariedad de los recursos, hace que el tema de los sin techo se haga cada vez más presente en las ciudades contemporáneas.

Durante el cuatrienio se establecieron por primera vez en San Juan algunos servicios para mujeres víctimas de maltrato doméstico producto de la cultura machista que asola la sociedad puertorriqueña desde tiempos inmemoriales. La secuela y seriedad del maltrato como práctica habitual había sido soslayada por demasiado tiempo. Claro está, no es asunto exclusivo del municipio el tratar de aminorar esa lacra. No obstante la negativa de varias comunidades de acoger en su entorno un centro de acogida para mujeres maltratadas, se logró establecer un primer centro para esta población.

Para afrontar la pandemia del SIDA, el municipio se esforzó por dotar de recursos las campañas de detección, educación y prevención en los niveles escolares y comunitarios. Pero el manejo clínico y sicosocial de los miles de pacientes infectados en aquella época, requería de ingentes recursos que el Municipio por sí solo no podía afrontar. Temprano en el cuatrenio se propuso la creación de un concilio de organizaciones públicas, privadas y no-guberamentales que ayudase a manejar la pandemia en San Juan. Los impactos presupuestarios de la epidemia eran sencillamente abrumadores. En el año fiscal 2000-2001, se consignaron $18.5 millones para los programas VIH-SIDA de un total de $129 millones que alcanzó el presupuesto de salud municipal.[109]

salud como política

Las políticas de Salud y la Salud como política

El área de la salud pública fue para muchos un ejemplo de cómo las políticas partidistas bipolares se enfrentaron durante el último cuatrienio del siglo 20. Dos visiones de asistencia enfrentaron al municipio de San Juan con las autoridades estatales en casi todos los asuntos relacionados con la salud.

Por un lado el Estado, que había convertido el asunto en un lema de campaña para atraer los votos de buena parte de la población médico-indigente, implantaba paulatinamente un plan que denominó la *Reforma de Salud*. Se trataba de un modelo neoliberal que privatizaba los servicios, privilegiando unas cuantas empresas de seguros médicos. Para afrontar el enorme impacto financiero de poner en manos privadas un sistema de salud público, se requería la venta de casi todos los activos e instalaciones sanitarias en todos los municipios. Por el otro lado, el municipio de San Juan, que por décadas ha tenido grandes infraestructuras, incluido un hospital propio, intentaba modernizar las misma y poner al día los protocolos asistenciales de la población médico-indigente de la capital sin incurrir en la privatización.

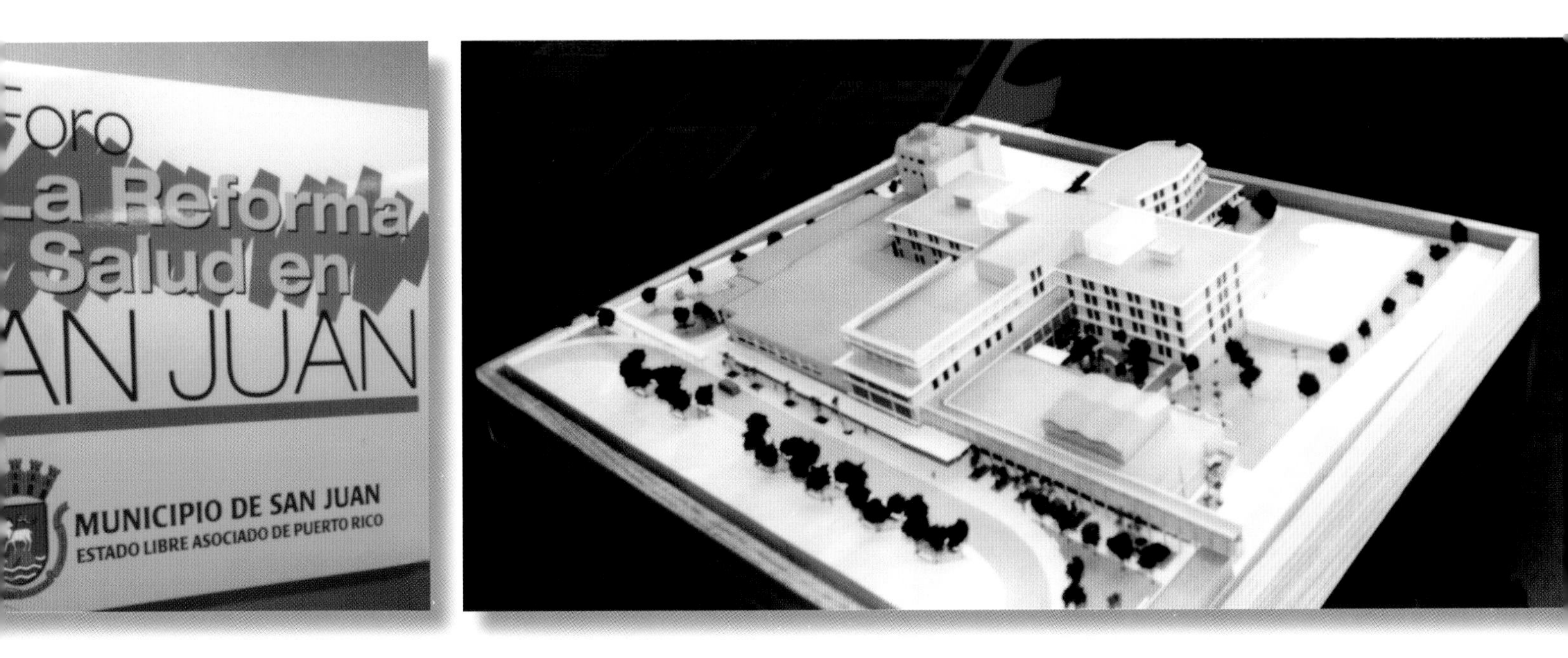

Las prestaciones de salud a una población crecientemente dependiente, se convirtieron en un asunto político-partidista que matizó el ambiente en todo el país y más aún en la capital. Tanto la población médico-indigente de San Juan, como los medios de comunicación masiva y las campañas políticas estaban pendientes a lo que ocurría en el resto de los municipios para apurarse a pronosticar lo que sucedería en San Juan.

En el contencioso participaron muchos intereses, pero sobre todo un gran segmento de la población que asumía la permanencia de un estado benefactor que requería de grandes erogaciones públicas para seguir prestando servicios sanitarios, cada vez más caros y complejos. Hubo quien creyó que ya no habría que hacer más filas y todos los servicios estarían al alcance para los poseedores de una tarjeta plástica subsidiada por la otra mitad de la población. Así, este asunto se convirtió en el periodo de fin de siglo en uno de los grandes debates ventilados en toda la isla. Tanto es así que el municipio capitalino fue el último al que se incluiría en *la Reforma*. Para muchos el hecho fue considerado como una especie de *castigo* a su testarudez de no privatizar las facilidades y sobre todo para hacer que el asunto coincidiera con el próximo evento electoral.

Foro Reforma Salud, 1999

Proyecto Remodelación Hospital Municipal, 1998

Archivo Fundación Sila M. Calderón

No es nuestra intención evaluar uno u otro modelo, sino destacar las acciones de la administración municipal durante este periodo de transición que determinó a largo plazo un cambio sustancial en las formas de prestar los servicios sanitarios en la capital. Anticipamos, sin embargo, que la adopción de un modelo específico de servicios de salud para San Juan estuvo precedido de vistas públicas, consultas a expertos y visitas oculares, como se evidencia en la documentación examinada. Igualmente, se destaca en todo el proceso la figura del Director del Departamento de Salud Municipal, Dr. Ibrahím Pérez.

A finales de siglo San Juan, tenía: la densidad poblacional más alta del país, el número mayor de familias bajo el nivel de pobreza, el porcentaje más alto de personas mayores de 65 años, una creciente cantidad de madres solteras, el número más alto de personas con desórdenes mentales y la mayor población de enfermos de SIDA. Éstas eran a grandes rasgos las características que conformaban un cuadro poco halagador en la condición médica capitalina al comienzo del cuatrienio. Para el 1997 cerca de un 26% de la población sanjuanera estaba catalogada como médico-indigente, es decir cerca de 120,000 personas en todo el municipio.[110] Estas características, se aducía, definían el perfil de San Juan como un caso diferenciado del resto del país, que sin embargo era compartido con otras grandes ciudades del resto del mundo.

Ante la ola de privatización que venía ocurriendo en el resto del país a partir de 1991 el municipio de San Juan estableció un programa de mejoras a toda su infraestructura y dotaciones sanitarias de nivel operacional. Es decir, nueve Centros de Diagnóstico y Tratamiento (CDTs), un hospital municipal, una clínica de cuidado extendido y rehabilitación, un centro de salud mental, un centro para pacientes de SIDA y un centro de emergencias médicas. Los CDTs existentes al comienzo del periodo constituían la dotación más cercana a los ciudadanos medico-indigentes. Estaban ubicados en Río Piedras, Lloréns Torres, Hoare, Sabana Llana, San José, Puerta de Tierra, La Perla y Puerto Nuevo. Además, la administración municipal inició la construcción de uno adicional en Cupey, al sur del municipio.[111]

Paralelamente, y desde el inicio del periodo, se procedió con la remodelación del Hospital Municipal, obra que concluyó al igual que la rehabilitación de los CDT. Cabe recordar que el municipio de San Juan es el único de los municipios de Puerto Rico que es dueño y administra un hospital. Esta particularidad exigía del presupuesto una partida considerable que los otros municipios de la Isla no tenían que afrontar.

reforma

Llega la Reforma

Desde 1993, el Estado inició la implantación uniforme de sus políticas privatizadoras, aun cuando en algunos municipios pequeños y con precariedad económica veían cerrarse instalaciones que el sector privado no podía rentabilizar. Sin embargo, se generalizaba la percepción de que nos habríamos de convertir todos en consumidores. La salud sería una especie de mercancía que se compraría utilizando una tarjeta subsidiada que aumentaba la capacidad de consumo de nuevos servicios. La seducción del consumo fue abrumadora.

A medida que se fue haciendo contundente la implantación de la Reforma en todo el resto del país, el Municipio debió adecuarse a las nuevas circunstancias. La administración Calderón matizó las reticencias y propuso una serie de reformas a la Reforma. Para auscultar opiniones de diversos sectores, el Municipio organizó un *Foro Abierto sobre la Reforma de Salud* que se llevó a cabo en septiembre de 1999.[112] A partir de los consensos logrados en el foro, Calderón nombró el comité negociador que habría de gestionar las condiciones de la implantación de *la Reforma* en San Juan. Un largo y pesado proceso de negociación con la Administración de Seguros de Salud (conocida por sus siglas ASES) consumió buena parte del resto del cuatrienio.[113]

Uno de los puntos más álgidos fue la imposición de las cuotas proporcionales de aportación del municipio a la Reforma. La acción del gobierno central fue contundente. Sustrajo los $40 millones de aportación de fondos Medicaid al sistema de salud municipal y no le dio curso a crédito solicitado por la administración Calderón por concepto de inversión ya realizada en instalaciones de salud en la ciudad. A la misma vez, impuso a San Juan una aportación de otros $40 millones por concepto de " vidas elegibles" en el Municipio mediante retenciones mensuales a realizarse por el CRIM para garantizar el pago del mismo. La propia alcaldesa criticó en varias ocasiones la aportación que el Estado le fijaba al presupuesto municipal para poner en función los programas de la Reforma en la Capital. Los restantes 77 municipios tenían una población de

B

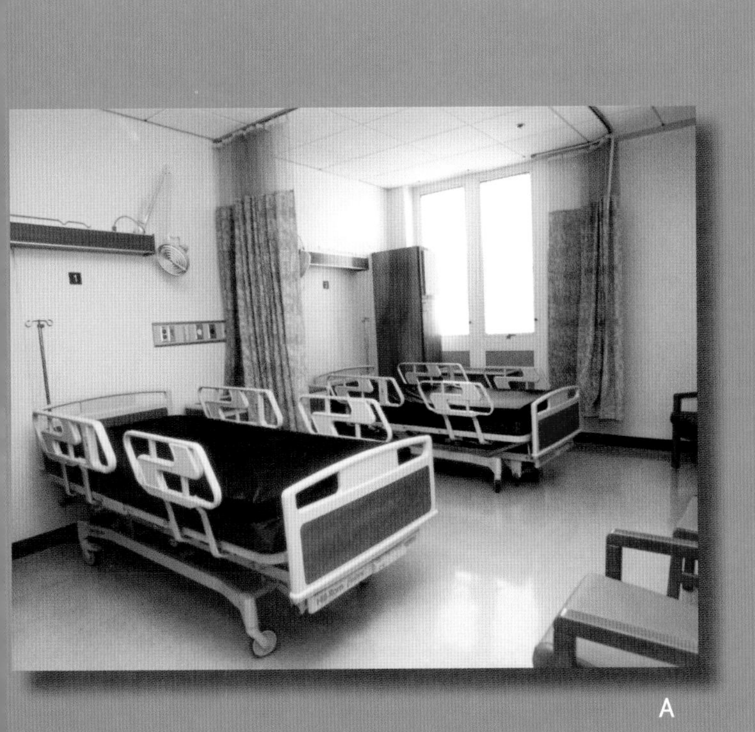

A

D

C

a-b: Hospital Municipal de San Juan, 2000
c-d: CDT Barrio Obrero, 2000

Archivo Fundación Sila M. Calderón

médico-indigentes combinada ascendente a 1.6 millones de personas y aportaban todos juntos unos 73 millones de dólares.[114] Al municipio de San Juan, con una población médico-indigente de 120,000 personas, se le asignó una contribución desproporcionada de cerca de 80 millones de dólares. El gobierno central parecía apostar al colapso sanitario de San Juan, y el Municipio, por proveer la mejor calidad de servicios en franca competencia comparándose con otros municipios en los que se había adoptado la tarjeta de salud.

Con la Reforma el gobierno central cambió su rol tradicional de ser proveedor directo de los servicios médico-hospitalarios, a ser un pagador y fiscalizador de los servicios que prestarían, de allí en adelante, terceras personas jurídicas, fueran éstas públicas o privadas. En el texto de la Ordenanza Municipal que autoriza finalmente la implantación de la Reforma de Salud en el Municipio la hacía efectiva el 1ro de julio de 2000. En uno de los *Por Cuantos* la ordenanza establece claramente que el seguro de salud, al igual que el resto del sistema que iba a implantarse, tendría que responder a la realidad de la Capital, a las particularidades de su demografía, a su patología y perfil médico-social, y a la estructura de las instalaciones que comprendían las dotaciones del Municipio. La ordenanza estipulaba también la negativa del Municipio a la venta

SE INSISTÍA EN LA IMPORTANCIA DE LA MEDICINA PREVENTIVA, PROMOVIENDO ESTILOS DE VIDA MENOS CONSUMISTAS Y MÁS SALUDABLES ENTRE LA POBLACIÓN

o privatización de sus facilidades médicas ejerciendo así una función dual de proveedor directo de servicios médico-hospitalarios a la vez que facilitador de otros médicos o grupos de médicos de la práctica privada para que éstos participaran como proveedores de la Reforma de Salud utilizando las instalaciones de salud, personal y equipo, mediante contratación al efecto.

Con la implantación de la Reforma en el año 2000 los Centro de Diagnóstico y Tratamiento (CDTs) pasaron a convertirse en Metroclínicas que de ese momento en adelante operarían en conjunto con los grupos médicos privados utilizando los recursos de infraestructura, personal y tecnología del Municipio. En general el Municipio intentaba crear un aparato mixto en donde no se descartaba el modelo anterior ya que su experiencia y facilidades cualificaban en mejores condiciones y era equivalente a una más de las Organizaciones de Cuidado de Salud privatizadas. Así el Municipio podría cobrar los deducibles y coseguros establecidos por ASES. Otros municipios como Bayamón, Caguas, Carolina, Cayey, Manatí, Mayagüez y Vieques mantuvieron sus instalaciones y participaban también como proveedores del seguro de salud.

En términos generales, el municipio abogaba por una distribución más equitativa de los riesgos entre el médico primario, las aseguradoras y el gobierno. Se proponía una reducción de la burocracia, en otras palabras, que una mayor parte de las primas se destinasen al pago de los servicios de salud y en menor medida a los gastos administrativos. Con relación al costo de los medicamentos, el Municipio propuso e implantó una compra al por mayor para así reducir el costo de las medicinas. Una y otra vez se reiteró su negativa a vender sus instalaciones sanitarias.

Por otro lado se insistía en la importancia de la medicina preventiva, promoviendo estilos de vida menos consumistas y más saludables entre la población. Lejos estaban ya los tiempos donde prevalecían entre la población de Puerto Rico enfermedades infecciosas como la malaria, la tuberculosis, la bilharzia y otras condiciones típicas de un mundo subdesarrollado. Al final del siglo, el país y San Juan exhibían un cuadro diferente. Prevalecían las enfermedades de tipo crónico más asociadas con el desarrollo como las enfermedades cardiovasculares, las condiciones vinculadas al tabaquismo, el cáncer, la diabetes, y en creciente medida las relacionadas con la obesidad. El país había abandonado la agricultura y desdeñado el trabajo físico y actividades como el caminar. Gustos, consumos, actitudes y costumbres diferentes acabaron por transformar las condiciones de salud de buena parte de la población. Hay que decirlo, las dietas y los estilos de vida sedentarios de la población tenían efectos indeseables en la calidad de salud a pesar de que se habían vencido viejos azotes.

seguridad

Las políticas de la seguridad

En el organigrama municipal, el área de seguridad pública aparece organizada bajo el Departamento de Policía y Seguridad Pública, y la Agencia Municipal de Defensa Civil que respondía a la anterior. La seguridad adquirió una gran visibilidad pública dada las circunstancias de la alta tasa de criminalidad capitalina y el estado de desasosiego por buena parte de la población. A final del siglo las desigualdades sociales, y el aumento de usuarios a las drogas ilegales, fueron los detonantes más señalados por los analistas como responsables por la situación. Entre los equipos interdisciplinarios que estudiaban la criminalidad se determinó que el aumento en uso de drogas como la cocaína y el *crack* tenía una influencia directa con el aumento de la violencia criminal.

Los llamados delitos Tipo 1 son los indicadores de criminalidad más utilizados por las fuerzas del orden en Puerto Rico y en otras partes del mundo. Los delitos Tipo 1 se subdividen en dos grandes categorías: los delitos contra la propiedad que son los relacionados con asuntos de apropiación ilegal, escalamientos y hurtos de autos constituyen la mayoría; la segunda subcategoría son los delitos contra la vida o de violencia, es decir los robos, las agresiones, los asesinatos y las violaciones. En 1997 se reportaron 22,901 delitos Tipo 1 en San Juan. Esto equivalía a una tasa de 52.07 delitos por cada 1,000 habitantes.

Como ya hemos planteado, una de las acciones adoptadas para frenar la criminalidad en la ciudad estuvo ligada a la planificación, diseño e implantación de los Códigos de Orden Público. Otra vertiente, también ampliamente comentada durante la campaña y a lo largo de todo el cuatrienio, fue la de aumentar significativamente el número de policías municipales, con énfasis en el entrenamiento especializado de policías de la comunidad y otras especialidades que requería la modernización y la adaptación del cuerpo a las circunstancias cambiantes. Paralelamente se revisaron las escalas salariales de los miembros del cuerpo policíaco.

La remodelación o el diseño y construcción de nuevos cuarteles fue otra de las prioridades. También se compraron cuarteles rodantes que se ubicaron en diferentes lugares de alta incidencia criminal. Todos los integrantes de la alta gerencia de la administración coinciden en señalar al Coronel Jorge Collazo como uno de los recursos más eficientes con que contó la administración

Festival de la Niñez Capitalina, 2000

Monseñor Roberto González Nieves,
Rafaela Balladares y Sila M. Calderón
Fiestas de la Calle San Sebastián, 2000

Archivo Fundación Sila M. Calderón

durante ese período. La actualización y compra de equipos fue una de las partidas más importantes en su gestión así como el diseño de nuevos tipos de adiestramiento.

Con respecto a la Defensa Civil, el área se modernizó adquiriendo los equipos electrónicos más avanzados del momento para monitorear el estado del tiempo, y la cartografía digital de satélite que de ese periodo en adelante constituyó la base en materia de los servicios geográficos de información. Esta agencia tuvo un papel muy importante en los eventos de inundaciones y sobre todo al paso de los dos huracanes en ese periodo.

Lecciones para la competencia deportiva y para la vida

Cuando Georgie Rosario se integró al gobierno municipal, venía de trabajar en la Universidad de Puerto Rico donde había ganado experiencia administrativa y de dirigir en las ligas de baloncesto, incluyendo al equipo nacional.[115] Asegura, sin embargo, que no ha habido experiencia administrativa más gratificante que la que tuvo en sus años en la alcaldía. La clave, según Rosario, es un sentido de servicio desinteresado en el que uno se convierte en mejor jugador haciendo que los demás sean mejores jugadores. La conciencia de un trabajo en equipo medió para crear una nueva manera de hacer las cosas; de combinar talentos y criterios.

Bajo su incumbencia, se crearon empresas municipales para manejar el Polideportivo Rebekah Colberg y el Coliseo Roberto Clemente. En cuanto a la construcción, rehabilitación y puesta al día de las facilidades, Rosario llama la atención a nueve nuevos centros deportivos en urbanizaciones y a la creación de un Programa de Mantenimiento y Ornato para darle servicios a las 260 instalaciones recreo-deportivas aunque 108 de las mismas pertenecían al Gobierno Central.[116]

Era necesario canalizar el deporte hacia las comunidades y las personas. Rosario modificó el énfasis en las facilidades físicas y resaltó la programación. Superó la pugna entre construcción y programación trabajando en coordinación con el programa de Comunidades Especiales que le proveyó una armazón estratégica y el acercamiento al liderato comunitario. Se lograron establecer 23 programas en dichas comunidades que respondieran a una identificación concreta de las necesidades y no a una programación genérica que poco tuviera que ver con la comunidad específica. También se incrementó el apoyo a las asociaciones deportivas no-gubernamentales y al voluntariado.

Los resultados más significativos según el Informe de Transición suscrito por Rosario fueron: la creación de 11 centros de capacitación en 17 disciplinas deportivas, una programación comunitaria que involucró a cerca de 10,000 participantes al año; y programaciones especiales que alcanzaban el 14% de los participantes totales, como por ejemplo *Se Hace Camino Al Andar* que ofrecía servicios programados a envejecientes y retirados y *Caminemos Juntos* para poblaciones discapacitadas.[117]

Rosario señala al reflexionar sobre su gestión que, en última instancia lo más valioso no son las destrezas deportivas sino las destrezas de vida que se generan en la actividad deportiva. La inversión en el deporte se justifica no sólo si trae medallas o reconocimientos sino si se logra también movilizar una ética del esfuerzo y de juego limpio en la vida.

¿Cómo se justifica la inversión pública en el deporte? *Porque promueve los valores como el juego limpio, tenacidad ante la adversidad y control ante la injusticia. La inversión en el deporte es mucho más que bates y bolas*, nos dice Rosario que sentía gran satisfacción cuando veía a los jóvenes manejar en la competencia deportiva estilos que habrían de acompañarlos por el resto de sus años. *Por eso, lo que no se ve en la cancha es lo que la hace útil socialmente.*[118]

afirmación cultural

San Juan y la afirmación cultural

El fomento y gestión cultural desde los poderes públicos han estado fuertemente centralizados en el País desde la creación del Instituto de Cultura Puertorriqueña en 1955.[119] Por ello, son relativamente escasos los proyectos culturales que el municipio encabeza en un cuatrienio típico. En el período estudiado hubo una alteración a este patrón cuando la cultura adquirió mayor relevancia como componente estratégico en programas como el de las Comunidades Especiales y la Oficina de la Juventud; como eje de las celebraciones con motivo de la llegada del nuevo milenio y como énfasis discursivo movilizador en los mensajes de la alcaldesa, especialmente a partir de 1998.

Vista aérea de la Plaza Barceló en Barrio Obrero, 2000

Archivo Fundación Sila M. Calderón

Los programas del Departamento de Cultura, dirigido por Paquita Vivó, advierten la cercanía de San Juan a cumplir cinco siglos de historia, y ello imponía a la administración una agenda particular de responsabilidades que enalteciera el papel de San Juan como la capital cultural del país a la vez que apoyaban otras metas programáticas. Un proyecto denominado *Ciudad Festiva* organizó sistemáticamente actividades culturales en las plazas y espacios públicos del municipio. Las actividades ocurrieron principalmente en espacios (muchas veces en canchas de baloncesto) que intentaban convertirse en centros cívicos de las denominadas Comunidades Especiales. También se usaron espacios emblemáticos tradicionales como las plazas del Viejo San Juan, la Plaza de Convalecencia en Río Piedras, la Plaza Barceló en Barrio Obrero, la de Los Salseros en Villa Palmeras o la Antonia Quiñones en El Condado.[120]

En la programación cultural se integraron conciertos, teatro, danza, cine al aire libre, noches de bohemia con la participación de poetas, además de ferias orientadas a la población infantil. Más tarde se estructuró un programa aún más ambicioso llamado *EducArte*. El mismo estuvo organizado y dirigido por el prestigioso artista Antonio Martorell y la teatrera Rosa Luisa

Proyecto Educ-Arte, 1999
Archivo Fundación Sila M. Calderón

Salas de exhibición del Museo de Historia de San Juan, 2000
Archivo Néstor Barreto

Márquez, y que impactó residenciales y comunidades con tecnologías de creatividad cultural, apoderamiento juvenil y uso de modalidades emergentes como videos.

Respecto a las instalaciones más canónicas de cultura en San Juan, el Teatro Tapia estuvo cerrado por reparaciones durante el primer año de la administración Calderón, pero una vez reabierto se convirtió nuevamente en un espacio de programación cultural.

POR PRIMERA VEZ EN SUS CASI 500 AÑOS LOS SANJUANEROS PUDIERON REFLEJARSE EN EL ESPEJO DEL TIEMPO

En 1997 el antiguo Museo de Arte e Historia del municipio no era más que una sala de exhibiciones temporeras. Durante el cuatrienio se llevó a cabo una reforma integral de la institución. Se restauró por completo su edificio sede, la antigua Plaza del Mercado en el Viejo San Juan. Paralelamente al proceso de restauración, se hizo la investigación, la curaduría, el diseño y el montaje de la sala de exhibición permanente sobre la historia de la ciudad. La sala, ubicada en el ala oeste del Museo, expone la historia de la ciudad enmarcada en su geografía y está dividida en secciones que definen los periodos más significativos de la historia urbana. Los curadores nominaron los espacios museográficos como Fundaciones, Asedios, Ciudadanos, Modernos y Metropolitanos. Se trata de un recorrido conceptual por la historia que ha configurado el carácter de la ciudad como una capital caribeña. Se puso especial interés en mostrar interactivos de computadora para estimular las visitas de usuarios de generaciones más contemporáneas. En el ala este se inauguró una sala de exposiciones temporeras que abrió al público con una exposición de arte sacro de la colección de la Catedral de la ciudad. Por primera vez en sus casi 500 años los sanjuaneros pudieron reflejarse en el espejo del tiempo y poder examinar las capas sedimentadas de historia urbana de su ciudad. El patio interior del Museo se concibió también como un espacio que ha resultado ser muy utilizado para todo tipo de actividades como ferias de artesanías, conciertos, y exposiciones al aire libre.

Un esfuerzo similar, ocurrió en Río Piedras donde el Municipio adquirió la única casona sobreviviente de una tipología arquitectónica característica del siglo 18, ubicada en la esquina de la avenida Ponce de León con la calle Arzuaga. Se trata de la antigua casa de la familia Orcasitas, oriunda de Río Piedras, y cuya estructura de mampostería y madera con techo a cuatro aguas se destaca entre el conjunto de las estructuras colindantes del centro urbano de la ciudad. Luego de adquirirse, fue objeto de una cuidadosa rehabilitación y reconversión como Casa de Cultura. El liderato en defensa del casco riopredense y la comunidad de Santa Rita de la profesora universitaria Ruth Hernández le valió que a la institución se le pusiera su nombre en agradecimiento por su dedicación comunitaria.

Como muchas otras grandes ciudades del mundo San Juan se preparó para ser parte del circuito mediático que se diseñó a nivel global para la celebración de la llegada del nuevo milenio. Para ello se creó la Comisión 2000 que tuvo a su cargo la organización de eventos y las obras que marcarían de forma permanente la impronta sanjuanera a la llegada del siglo 21.[121] Además de las propias actividades coyunturales, típicas de este tipo de efemérides, la Comisión del Milenio organizó la publicación de varios libros y una pieza única que incluye una fina colección de grabados y poemas alusivos la capital en donde se invitó a participar a renombrados artistas gráficos y poetas de San Juan. *La Ciudad Infinita* fue quizás el esfuerzo más ambicioso de esta programación y fue coordinado por Margarita Fernández Zavala. En el portafolio se evoca, desde el grabado y la poesía, las múltiples vivencias y auras de San Juan.

Además, la Comisión del Milenio y el Municipio financiaron en parte la publicación de los siguientes libros: *San Juan Circa 2000, San Juan Siempre Nuevo, y Una historia olvidada: un siglo en la Asamblea Municipal de San Juan, 1898-1999.* Utilizando otro medio de comunicación el Municipio produjo un vídeo llamado *San Juan Ciudad de Todos.*

El libro *San Juan Circa 2000* fue editado por el Centro de Investigaciones Carimar y trató de continuar una tradición establecida en el cambio del siglo 19 al 20, cuando los fotógrafos de la ciudad publicaron varias colecciones de imágenes que dejaron constancia del paisaje material de la ciudad en ese momento. Otro de los libros de la colección se tituló *San Juan siempre Nuevo,* su editor es el arquitecto Enrique Vivoni. El libro es una colección de ensayos académicos cuyo tema central es una crónica de la ciudad en el siglo 20 a través de la arquitectura. La profesora Ivonne Acosta Lespier es la autora del libro *Una historia olvidada: un siglo en la asamblea municipal de San Juan, 1898-1998*, que es una historia de la composición y acciones de la Asamblea Municipal.

Según se enuncia en los documentos oficiales publicados por la administración, el área de cultura perseguía reforzar el conocimiento de las artes y estimular entre los ciudadanos las manifestaciones culturales puertorriqueñas. A partir de 1998, se hizo más presente el tema de la afirmación puertorriqueña como lema programático y como elemento temático en los mensajes de la alcaldesa Calderón.[122] Al conmemorarse los cien años del cambio de soberanía y anunciarse por el gobierno central la celebración de un plebiscito sobre el status de Puerto Rico, se avivó el debate en torno al destino político y sobre la textura cultural de los ciudadanos. El resultado del plebiscito tuvo un carácter inminentemente político aunque también se dirimió en las zonas profundas de la identidad cultural. Para San Juan fue un signo, al inicio un tanto difuso pero luego con mayor contorno, de un desplazamiento que habría de llevar a su alcaldesa a la gobernación del país.

San Juan Circa 2000, 2000. Centro de Investigación Carimar (editor)

San Juan Siempre Nuevo, 2000. Enrique Vivoni Farage (editor)

La ciudad infinita, 2000. Margarita Fernández Zavala (editora)

Capítulo 6

COMUNIDADES ESPECIALES

Responsabilidades cívicas y apoderamiento

Grabado de María del Mater O'Neill. Publicado por el Municipio de San Juan en el portafolio Ciudad Infinita, *2000*

Al lanzar su candidatura para la alcaldía municipal, Sila Calderón sorprendió a muchos al encabezar con el problema de la pobreza su programa de gobierno. El proyecto de acción municipal *San Juan, Ciudad de Primera* planteaba que en la ciudad capital, al igual que en todo el país, había una *pobreza profunda, una pobreza escondida*, que requería un *compromiso moral de igual magnitud que pudiese enfrentarla.*[123] Si una de las arrogancias de la modernización fue el pensar que había dado jaque mate a la pobreza, a punto de terminar el siglo 20, el tema re-emergía de manera abierta como prioridad política.[124]

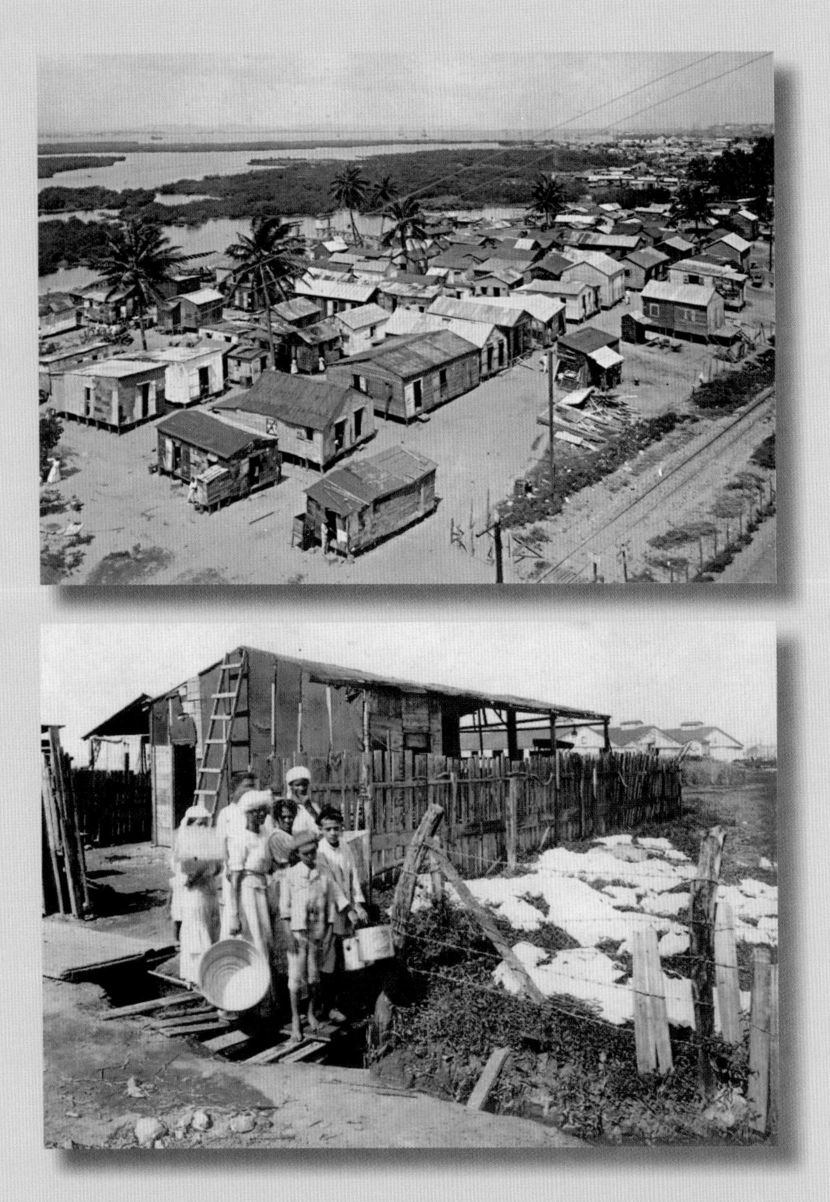

Viviendas en Puerta de Tierra, 1910c
Atilio Moscioni. Biblioteca UPR, Río Piedras

Abajo: Plano de San Juan, Thomás O'Daly. Museo Naval. Madrid, 1776

En el documento pre-electoral, se hablaba de comunidades y barriadas de escasos recursos. Más tarde, comenzó a circular el concepto de *comunidades especiales*, una denominación algo difícil de comunicar por las diversas interpretaciones que suscribían sus dos componentes. Puede argüirse que, en términos estrictos de comunicación, el término no contribuyó mucho a la validación del programa, piedra de toque de uno aún más ambicioso que Calderón emprendería como gobernadora, cuatro años después. A pesar de ello e independientemente del balance que podamos adjudicar, el colocar en el corazón de su gestión municipal el lastre social de la pobreza constituyó un acto de arrojo político de parte de Calderón.

Una breve historia de la pobreza sanjuanera

La pobreza sanjuanera no es en exclusiva un producto de los desfases de la modernización acometida en la segunda mitad del siglo 20. Tiene una historia que antecede a los vuelcos sociales y económicos generados por el tránsito modernizante y a la que debemos recurrir para poder identificar ciertas constantes culturales y del mismo modo las modificaciones en los contextos, las estructuras e identidades de la pobreza.

Durante muchos siglos, la ciudad de San Juan fue casi con exclusividad una ciudad intramuros. Las murallas establecían una línea divisoria –física y simbólica– entre la ciudad y el campo. Dentro del perímetro de la ciudad, los sectores más acomodados ocuparon las hoy calles del Cristo, Fortaleza, y San Francisco. Los pobres fueron orillados al Barrio de Santa Bárbara, en el lado noreste de la ciudad. Allí vivían en bohíos miserables que se pueden apreciar en ilustraciones tan antiguas como los dibujos holandeses de San Juan de 1625. Esa segregación espacial y social persistía en el siglo 18, como se evidencia en la página anterior en el plano de Thomas O'Daly (1776)[125]

¿Quiénes eran estos pobres? Esclavos urbanos, campesinos pobres y libertos que rendían servicios a las familias de poder económico y político de San Juan, a la guarnición militar y al establecimiento religioso. En las pinturas de José Campeche para fines del siglo 18 vemos trabajadores en las faenas de levantar el primer empedrado de la ciudad. Son las primeras imágenes de los pobres de San Juan, entregados al trabajo en una ciudad que era también de ellos aunque no se les reconociera.

Ya para el siglo 19, los pobres fueron expulsados incluso de los lugares que habían ocupado por siglos para abrir espacios destinados a edificaciones civiles como la Plaza del Mercado y el conjunto monumental de Ballajá. La expulsión hizo que se mudaran a lugares extramuros al Barrio de la Marina o a Puerta de Tierra. En Puerta de Tierra estos sectores desfavorecidos desafiaron las prohibiciones de las autoridades militares que mantenían derecho preeminente sobre el área comprendida entre las murallas y el Monte del Olimpo (hoy Miramar) y construyeron sus viviendas y algunos negocios familiares.[126]

Con la proclama de la abolición en 1873, se acentuó la densidad poblacional de San Juan y los problemas de hacinamiento, abasto de aguas y otros servicios se tornaron más críticos. Los pobres intramuros se agolpaban en casas de vecindad (ver ilustraciones en la página siguiente) y constantemente eran objeto de persecución por las autoridades que pretextaban infracciones al orden y a las buenas costumbres para desahuciar o multar a sus ocupantes. Sobre las lavanderas y otras trabajadoras domésticas caían recriminaciones por el uso y disposición de las aguas y los desperdicios.[127] La criminalización del trabajador pobre, mayormente negro o mulato, fue en aumento en momentos en que se pasaba a un régimen de trabajo asalariado y se ensayaban mecanismos nuevos de explotación del trabajo y mantenimiento del orden social.

Muchos pobres comenzaron a ocupar tierras lejos de la Carretera Central en localidades del antiguo Cangrejos cuyos nombres todavía persisten, tales como Trastalleres, Gandul, Campo Alegre, Pulguero, Seboruco, Las Palmas. Irónicamente, con la construcción de quintas familiares y luego de la ruta del *trolley* que se dio precisamente en los espacios vacantes de la Carretera, fueron las comunidades expulsadas las que proveyeron la mano de obra doméstica y de mantenimiento de las vías. Entre otras tareas, suplían con el aceite que se extraía de los cocos, a las máquinas del *trolley* y luego del tren.

A pesar de los servicios indispensables que prestaban en casas, negocios, aseo urbano, transportación, acarreo, el pobre era vilipendiado aun por personas de buena intención. Se le tachaba de indolente, mentiroso, poco aseado, vulgar y alborotoso y se le marginaba de muchas actividades y espacios públicos. En las iglesias ocupaban los últimos lugares y en las calles debían dejar su lugar al paso de los pudientes. Por supuesto, la imagen negativa de la pobreza correspondía también a la persistencia del racismo. Los pobres eran, por lo general, negros y mulatos y, como tal, eran objeto de discriminación o de una compasión paternalista. La segregación espacial y la segregación social se daban de la mano.[128]

Toda ciudad es un entretejido social y un entretejido de espacios. Las maneras como se relacionan entre sí los diferentes colectivos sociales (clases acomodadas, sectores medios, sectores menos favorecidos y marginados) tienen consecuencias en la forma y manera como se relacionan los lugares. La organización del espacio citadino reproducía la organización social. A mayor marginación, más alejados e invisibles los espacios de vida para los pobres.

El más conocido y con mayor carga icónica de los espacios de marginación en San Juan es el barrio La Perla. Hacia el cambio del siglo 19 al 20, el sector extramuros norte, cerca del matadero, se empieza a poblar con campesinos que buscan en la ciudad trabajo y una vida mejor que la que podían aspirar en la incertidumbre agraria. Con el cambio de soberanía, la precariedad campesina se hizo más aguda. El desplome comercial en el que cayó el café, principal producto familiar de la montaña, propició un primer éxodo campesino hacia las ciudades, particularmente a San Juan.

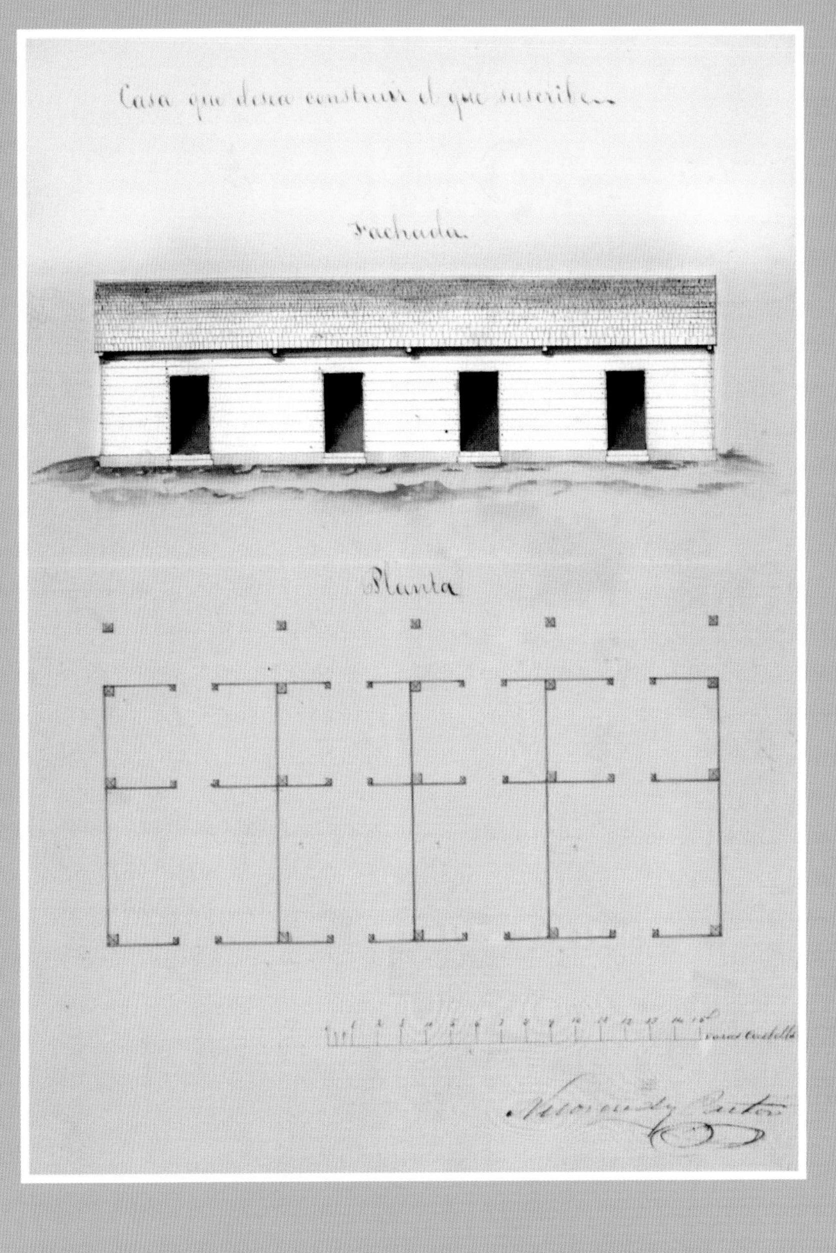

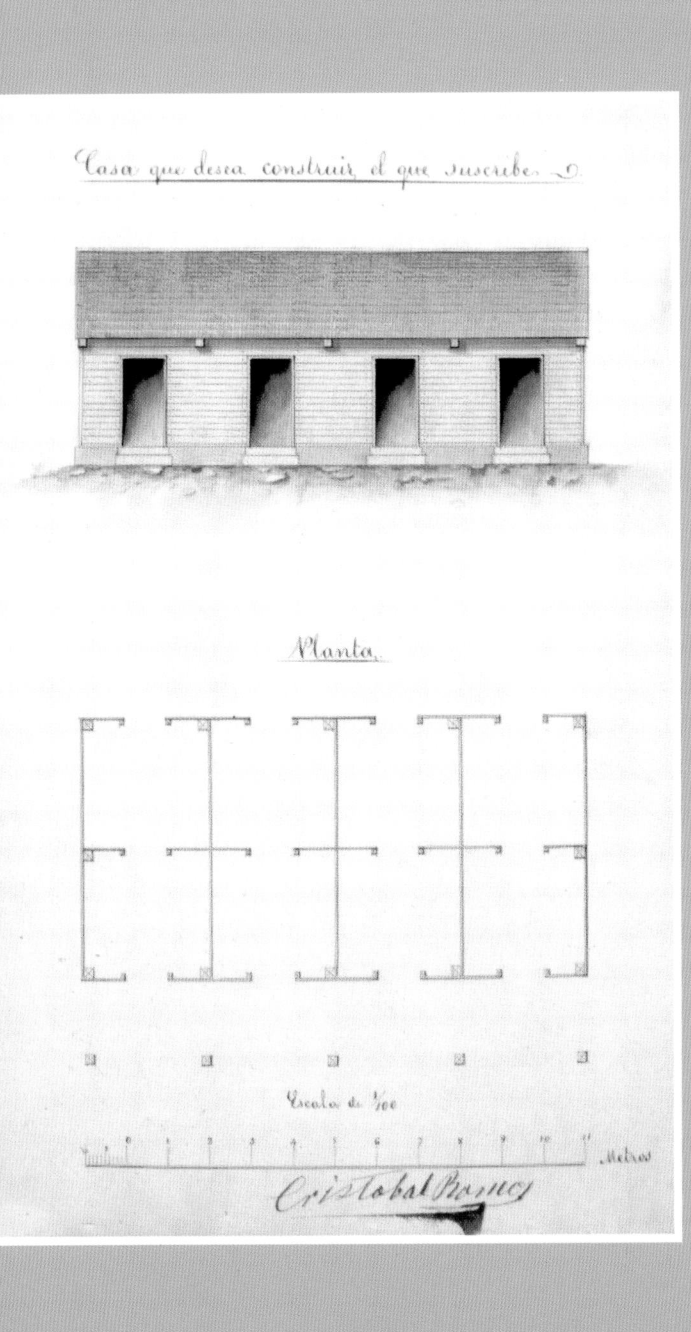

"Casas de vecindad" también conocidas como "ranchones" en Puerta de Tierra:

Proyecto de vivienda de Encarnación Del Toro, 1866, Puerta de Tierra. Archivo General de Puerto Rico, San Juan

Proyecto de vivienda de Nicomedes Pastor, 1866, Puerta de Tierra. Archivo General de Puerto Rico, San Juan

Puerta de Tierra, 1910 c.
Atilio Moscioni
Biblioteca UPR,
Río Piedras

A lo largo del siglo 20, La Perla será el espacio más reconocible de pobreza sanjuanera, popularizado en las fotografías de Edwin Roskham o Jack Delano, en la obra literaria de René Marqués, *La Carreta*; y en el trabajo sociológico de Oscar Lewis titulado, *La Vida*. A las antiguas características que se le asignaban a los pobres, ahora se le añadía por la opinión pública la de ser un lugar del crimen.

En la década de 1920 y gracias a las gestiones conjuntas de la Iglesia Católica en la figura de su obispo, Monseñor William Jones; el Partido Socialista, encabezado por Santiago Iglesias y la Legislatura que aprobó la Ley de Hogares Seguros, se dio paso a la planificación, diseño y desarrollo de la primera comunidad obrera en San Juan. El diseño de esta comunidad tuvo en cuenta las necesidades de vivienda, educación, recreación y trabajo de una ingente población, privada hasta entonces de lugares de vida dignos. No obstante, el Barrio Obrero representó la excepción que confirmaba la regla. Esfuerzos como éste y el de Capetillo donde la Iglesia cedió tierras para viviendas de trabajadores coexistían con zonas de inclemente pauperización y de ocupación por parte de los sin tierra u hogar de zonas insalubres, especialmente en áreas de manglar.

Cuando en 1934, la esposa del presidente Roosevelt, Eleanor, visita a San Juan se conduele al ver las condiciones de extrema pobreza y desamparo en que vivía la gran parte de los sanjuaneros. Los programas de auxilio y rehabilitación del Nuevo Trato intentaron paliar esta situación en dos lugares en el caso de la capital: Primero, en Puerta de Tierra donde se había concentrado una población marginada al sur, cerca del caño de San Antonio, en terrenos anegados donde pululaba la enfermedad.

Allí se erige el primer conjunto habitacional público subsidiado por el gobierno que adoptó el nombre de Falansterio, nombre que habían recibido las comunidades obreras ideales concebidas en el siglo 18 en Francia.[129] En segundo lugar, en Hato Rey, se ubicó un complejo comunitario

Barrio Obrero, 1950 c. Colección A. Fussa

Residencia en Barrio Obrero, 1920 c.

que llevó el nombre de Urbanización Roosevelt. Este complejo habitacional seguía los preceptos de Cesar Perry, un planificador norteamericano que planteaba la necesidad de crear unidades vecinales con espacios públicos multi-usos. Aunque se pensó para aliviar el problema de viviendas precarias en San Juan, una vez construido fue ocupado por sectores medios.

En torno al Caño de Martín Peña, se configuró un gran islote de miseria entre mangles conocido como El Fanguito. El lugar también será tema para narrativas literarias como la de José Luis González y su cuento *En el fondo del caño hay un negrito* y para reconocidas representaciones pictóricas como los trabajos de Rafael Tufiño y su pintura *VitaCola.*

Entre las décadas de 1930 y 1950, el arrabal ubicado al sur de las líneas del tren se extendió a todas las áreas inundables de Santurce. Allí se asentaron más de cien mil personas, más de la mitad de la población del municipio de San Juan. El lugar dividido en sectores: Hoare, Trastalleres, La Zona, Marruecos y Buenos Aires, dominó el paisaje urbano de Santurce.

Los grandes proyectos de vivienda pública en San Juan datan de los inicios de la década de 1940 con la construcción de Mirapalmeras, el primer *caserío*, con financiamiento de la *Puerto Rico Reconstruction Administration* (PRRA), bajo la Autoridad de Hogares de San Juan. Se trataba de proveer espacios funcionales en hormigón, con servicios sanitarios mínimos. La guerra desalentó que se continuara con el programa. Al proclamarse la paz y bajo el nuevo régimen del Partido Popular, se reanuda en 1945 con vigor la construcción de vivienda pública. Entre 1948 y 1950, se levanta el caserío San José donde se ubican 5,600 familias provenientes del Fanguito y otros arrabales de Río Piedras. Por su parte, en el sector Isla Verde se construye entre 1950 y 1953 el caserío Llorens Torres, un gigantesco complejo que la alcaldesa Felisa Rincón de Gautier denomina *un majestuoso monumento a la libertad*, a pesar de las resistencias iniciales mostradas por la legendaria alcaldesa con relación al desarraigo social que conllevaba la mudanza al caserío.

PROJECT "B" FOR 192 FAMILIES TO BE CONSTRUCTED HERE
SAN JUAN BAUTISTA STREET
MATIAS LEDESMA STREET
FERNANDEZ JUNCOS AVENUE
PATIO
STAIR HALL
TYPICAL FLOOR PLAN OF UNIT
SCALE 3/16"=1'-0"
APPROVED:
CHIEF, SLUM CLEARANCE DIV N., PRRA.
ASSOCIATE ARCHITECT
BIRD'S EYE PERSPECTIVE OF TENEMENT GROUP
PROJECT "A", UNDER CONSTRUCTION AT
PUERTA DE TIERRA, SAN JUAN, P.R.
WORK PROJECT No. 541
APRIL 22, 1936
P.R.R.A.
SLUM CLEARANCE DIVISION
MANUEL EGOZCUE
CHIEF OF DIVISION
DESIGNED BY: J. RAMIREZ DE ARELL
DRAWN & RENDERED BY: F. FULLANA
O. SANTI
Caserio
Extensión Las Casas
PROYECTO NO. PR 2-B
CONSTRUIDO POR LA
-AUTORIDAD-MUNICIPAL-SOBRE-HOGARES
-DE-LA-CAPITAL-DE-PUERTO-RICO-
Proyecto del Programa de Viviendas
a un Tipo Minimo de Alquiler

Falansterio, 1938
Biblioteca UPR, Río Piedras

Extensión del caserío
Las Casas, 1949
Archivo General de
Puerto Rico, San Juan

El Fanguito, 1941
Jack Delano
Library of Congress,
Washington DC

Foto de fondo:
El Fanguito, 1948
Charles Rotkin

A

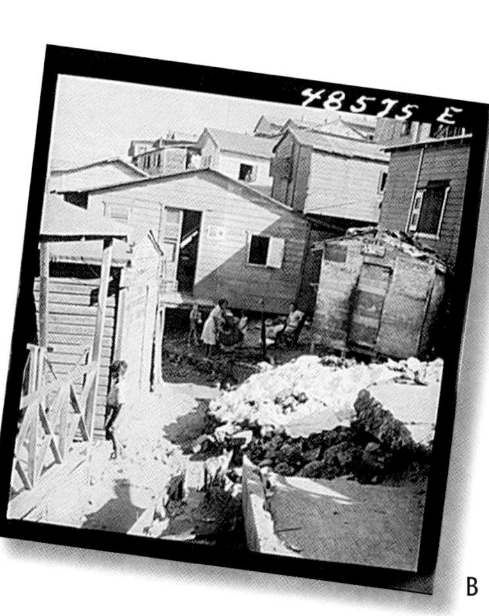

B

A pesar de las mejores intenciones de los funcionarios insulares y municipales, de la visión modernizadora y las inversiones en educación e industrialización, el problema de la pobreza en San Juan no se canceló con la construcción de los grandes proyectos de vivienda. En la misma alcaldesa Rincón de Gautier persistían dudas sobre los desplazamientos y reubicaciones de las poblaciones pobres a lugares alejados de sus comunidades de origen y de vida. El caserío no resultó la panacea que algunos imaginaron.

a: LaPerla, 1938 EdwinRosskam. Library of Congress, Washington DC

b-c: La Perla, 1941 Jack Delano. Library of Congress, Washington DC

Si bien los pobres constituían la mayor parte de la población en San Juan, durante la década de los 1950 los parámetros deseables de vida familiar decantaban cada vez más hacia los estándares de los sectores medios, minoritarios, pero en crecimiento. Con mayor acceso a los modelos publicitados por la cultura mediática (revistas, cine y radio) y con mayor susceptibilidad a la transculturación, los sectores medios se apropiaban de estilos de vida asociados al *American Way of Life*. El consumo masivo penetraba la vida de millones de personas a nivel mundial y organizaba sus utopías y valoraciones simbólicas, y Puerto Rico no fue la excepción. Las marcas y tecnologías provenientes en su mayoría de Estados Unidos personificaban deseos no siempre satisfechos, pero cuya realización no era imposible.[130]

En un nivel no siempre consciente, el proceso de transformación cultural implicaba la desaparición de las maneras tradicionales de vida y su sustitución por los nuevos valores del mercado. La eliminación de los arrabales tomaba entonces un cariz, no siempre expresado pero no por ello menos operante, que nuevamente criminalizaba al pobre, esta vez por representar el atraso. De ahí que en las tierras movedizas de los programas de erradicación de los arrabales coexistieran extremos de victimización y de criminalización que contaminaban los esfuerzos –bien intencionados– de proveer vivienda pública. Tras un breve período en que se ensalzaban los caseríos por sus características seguras, su higiene y su solidez frente a la construcción precaria del arrabal, se produjo su estigmatización.

Para la década del 1960, el acceso a fondos federales de la *Guerra contra la Pobreza* favoreció, a través de la Corporación de Renovación Urbana y el gobierno municipal, la erradicación de las comunidades de pobreza extrema que aún persistían. Esto se entendió como la remoción de las estructuras con aplanadora y la relocalización de las familias en multifamiliares públicos; se dio en la parte oeste del caño, entre la bahía y el Puente de Martín Peña para permitir la construcción del Expreso De Diego. La pobreza debía invisibilizarse. No fue así en el sector este entre Martín Peña y la laguna de San José donde se mantuvieron las antiguas comunidades.

Llegada la próxima década prevalecía la necesidad de vivienda para una gran parte de la población sanjuanera. La falta de espacios disponibles y la accesibilidad a fondos federales como los programas *Community Development Block Grants* (CDBG) popularizó el diseño y construcción de enormes multipisos de vivienda pública, tal y como se estilaba en los *urban projects* de las grandes ciudades norteamericanas.[131] A su vez, se generalizaron los programas de ayuda familiar como los llamados cupones de alimento. Esos dos elementos caracterizaron la política asistencial que llevaron a cabo los gobiernos central y municipal en esa década. Cercanos a la *Milla de Oro*, y a su contraparte pobre del Caño, se construyeron grandes edificios de apartamentos como Las Gladiolas en Hato Rey.

Deteriorados por la falta de mantenimiento adecuado, las remodelaciones de residenciales se impusieron en la década de 1980. Enormes recursos fiscales estatales y municipales se destinaron a proyectos de rehabilitación de estructuras. Sin embargo, lo que una vez se planteó como una medida de vivienda temporera, o de transición, se entronizaba como solución de permanencia sin proveer las infraestructuras comunitarias de apoyo. Las ayudas de asistencia, generadas exclusivamente desde el sector público, constituían la fuente principal de trabajo y sustento para muchas de las familias que allí vivían.

LA FALTA DE ESPACIOS Y ACCESIBILIDAD A FONDOS FEDERALES POPULARIZÓ EL DISEÑO Y CONSTRUCCIÓN DE ENORMES MULTIPISOS DE VIVIENDA PÚBLICA

Ante las enormes cargas fiscales que recayeron casi exclusivamente sobre el sector público, y a tono con ideologías neoliberales que descartaban al estado benefactor, se generalizó en la década de 1990 la idea de privatizar los grandes residenciales como la solución a los problemas de vivienda. Paralelamente se recrudecieron los problemas de seguridad pública y criminalidad, muchos de ellos asociados al trasiego de drogas en algunos de estos residenciales.

Esta situación contribuyó a estigmatizar aún más la condición desesperada de los residentes de estos sectores pobres en la capital. Cierta cultura política de corrupción menoscabó los servicios públicos y aumentó los niveles de clientelismo en las comunidades. Hacia fines de la década, la criminalización, marginación y merma en la auto-estima de estas comunidades había alcanzado cotas socialmente costosas. Se recurrió entonces a políticas represivas aparatosas y con alta visibilidad mediática mediante operativos de ocupación y militarización de los residenciales públicos lo cual imprimió mayor estigma sobre estos espacios.[132]

A

B

C

a: Residencial Luis Llorens Torres. Santurce, 1959 c.
Archivo General de Puerto Rico, San Juan

La pobreza a finales del siglo 20 y los proyectos de mitigación

La caracterización inicial del estado de la pobreza en San Juan que lleva a cabo la candidata Calderón y su equipo de asesores se derivó de dos fuentes principales: en primer lugar, del examen por parte de consejeros en economía y planificación de las estadísticas censales y otras documentaciones y en segundo lugar, de las ideas sobre ciudad que una administración bajo su tutela se proponía implantar en San Juan. En particular, el programa de campaña insistía en una *ciudad humana* y con mayor nivel de equidad, lo cual al menos en términos generales apuntaba a que las desigualdades eran parte constitutiva del tejido urbano.[133]

Del examen preliminar se desprendieron algunas conclusiones básicas: Por un lado, la pobreza se ataba a criterios de desarrollo económico y a una percepción documentada de que San Juan sufría de rezago en las actividades productivas y en la generación de empleos, además de que su capital contributivo desmerecía respecto a municipios que se le adelantaban en niveles de prosperidad como Bayamón, Guaynabo y Carolina, entre otros.[134] Por otro lado, la pobreza se ataba a carencias en socialidad y solidaridad que se patentizaban en la ciudad de manera creciente. También a desfases en infraestructura, dotaciones y valoración de sectores y comunidades respecto a otros de clase alta y media alta.

Un paso clave fue la identificación de 53 comunidades que recibirían atención en tanto comunidades con déficits notables en calidad de vida. Algunos meses antes de las elecciones de 1996, ya la mayoría de ellas había sido analizada en función de los estudios de situación social, económica y urbanística llevados a cabo por el economista y planificador Joaquín Villamil. Se anunciaba además que se realizaban consultas directas con los vecinos para que los propios residentes identificaran sus necesidades más apremiantes.[135]

El acercarse al ciudadano e integrarlo a la solución de sus problemas es una tendencia actualizada que se testimonia en muchos planes de revitalización de ciudades en todo el mundo y apunta al importante renglón de la participación cívica. Pero, por otro lado, la relación con la base ciudadana remitía a una necesidad de establecer una relación con tonalidades populistas, parte constitutiva de la tradición política puertorriqueña. Quizás uno de los secretos del éxito de Calderón como candidata primero y luego, como administradora en propiedad, consistió en poder consolidar ambas estrategias.

El plan de gobierno anunciaba otras aspiraciones que, de entrada, parecían más complicadas. Una era la identificación de un liderato que dirigiera el proceso de apoderamiento comunitario. Aunque no se puntualizaba de manera clara, era obvio que tanto las comunidades identificadas como otras, muchas adolecían de falta de iniciativa cívica. Les había ganado la indiferencia, el cinismo o la desesperanza. O también habían visto cómo otras redes sociales, como el narcotráfico, habían suplantado las redes comunitarias. Otra aspiración que sólo podía darse si se satisfacía un nivel adecuado de apoderamiento era que cada comunidad pudiese elaborar un particular plan de desarrollo.

La plataforma de la candidata Calderón ponía de ejemplo lo ocurrido en la Península de Cantera, lo que podía ser un tanto desorientador. Entre las comunidades identificadas había algunas que constaban de par de calles mientras que Cantera era una las mayores comunidades en el Área Metropolitana. Además, los resultados obtenidos en Cantera habían conllevado una participación sustancial del sector privado y del gobierno central. Eran dos incógnitas si se podría contar nuevamente con ambos.

De cualquier manera, en el fondo había una percepción acertada de que las comunidades de bajos recursos no podían ser lugar de los clientelismos tradicionales con una ciudadanía pasiva. El documento de campaña incluía una lista de las comunidades seleccionadas, número que aumentó poco más al momento de despegar el programa en enero de 1997.[136] Es de notar que en números absolutos, la mayor parte de las comunidades se ubicaba en el Precinto 5. El área sur del municipio, que exhibía los rasgos más acusados de ruralía, se convertiría eventualmente en una zona de contención entre desarrolladores, gobierno municipal, comunidades y grupos conservacionistas.

comunidad

El valor de comunidad

En enero de 1997, la nueva alcaldesa sorprende nuevamente con la inclusión de manera prominente de 53 representantes de comunidades pobres de San Juan como invitados a los actos de inauguración.[137] Su presencia, que podía ser interpretado a la ligera como un gesto populista, era el producto de un deliberado proceso de reflexión sobre lo que constituía el San Juan que se acercaba al relevo del milenio.

A pesar de las inversiones en construcción de viviendas, en servicios sociales y en la dotación de infraestructura, la pobreza anidaba en la capital. San Juan corría el riesgo de tornarse un municipio de sectores de afluencia económica rodeado de cinturones de miseria. Para evitar ese pronóstico que se acercaba con inevitabilidad, era preciso repensar la pobreza desde varias estrategias convergentes, algunas ensayadas en proyectos anteriores como Cantera y otras articuladas a partir de la propia campaña electoral que le permitió auscultar opiniones de las propias comunidades.

En primer lugar, había que escuchar a los residentes, tomar en cuenta sus experiencias y reclamos, atender sus recomendaciones que provenían de la experiencia cotidiana contra las carencias, el desamparo, la indiferencia de las autoridades y los estigmas asociados al ser pobre. En segundo lugar, había que modificar el orden de prioridades, por muchos años en función casi exclusiva de la inversión en vivienda y de una política de subsidios.

Se requería con urgencia identificar y potenciar un liderato local que gestionase un proceso de apoderamiento comunitario que reconstruyese el tejido social, aquejado por la vulnerabilidad, la inercia y la desesperanza.

Muchas de estas condiciones remitían a la intensa politización que había convertido a los estratos pobres en clientelas de los partidos políticos y que había contribuido a la fragmentación de las comunidades por causa de las banderías electorales. Su restitución como actores sociales y cívicos tenía que pasar por la despolitización inmediata de las relaciones con la administración municipal.

A lo largo del siglo, el sistema asistencial como respuesta a la pobreza había descansado en el financiamiento, poder de decisión y de administración del sector público. La responsabilidad social se entendía sólo como asunto del gobierno. Con ello se fomentaba la indiferencia de los otros componentes sociales que se acostumbraron a ver la pobreza como una exterioridad irremediable. La nueva perspectiva planteaba la necesidad de crear consorcios con el sector privado para adelantar obras de interés social pero que redundarían en una ciudad habitable, con gobernabilidad y solidaria.

Visita a la Comunidad Especial Corea, 1997

Asociación de Ciudadanos Barriada Bitumul, 1997

Archivo Fundación Sila M. Calderón

Se hacía necesario también evitar las cómodas generalizaciones que habían frenado atender la especificidad de cada una de las comunidades. Si bien había problemas y soluciones comunes, también era cierto que cada una exhibía un perfil propio y que las mejores soluciones provendrían de una evaluación concreta de cada caso. No siempre lo que era propicio en una comunidad compleja y de alta densidad era aconsejable para las más pequeñas. De ahí que cada una precisaba de un plan de desarrollo particular.

No se trataba de tierra inexplorada. Durante algún tiempo se habían dirigido esfuerzos de rescate y apoderamiento en la Península de Cantera en función de criterios novedosos de gestión y cooperación intersectorial. A partir de 1997, la experiencia acumulada en Cantera habría de servir para delinear un plan maestro de intervención social en las más de cincuenta comunidades sanjuaneras.

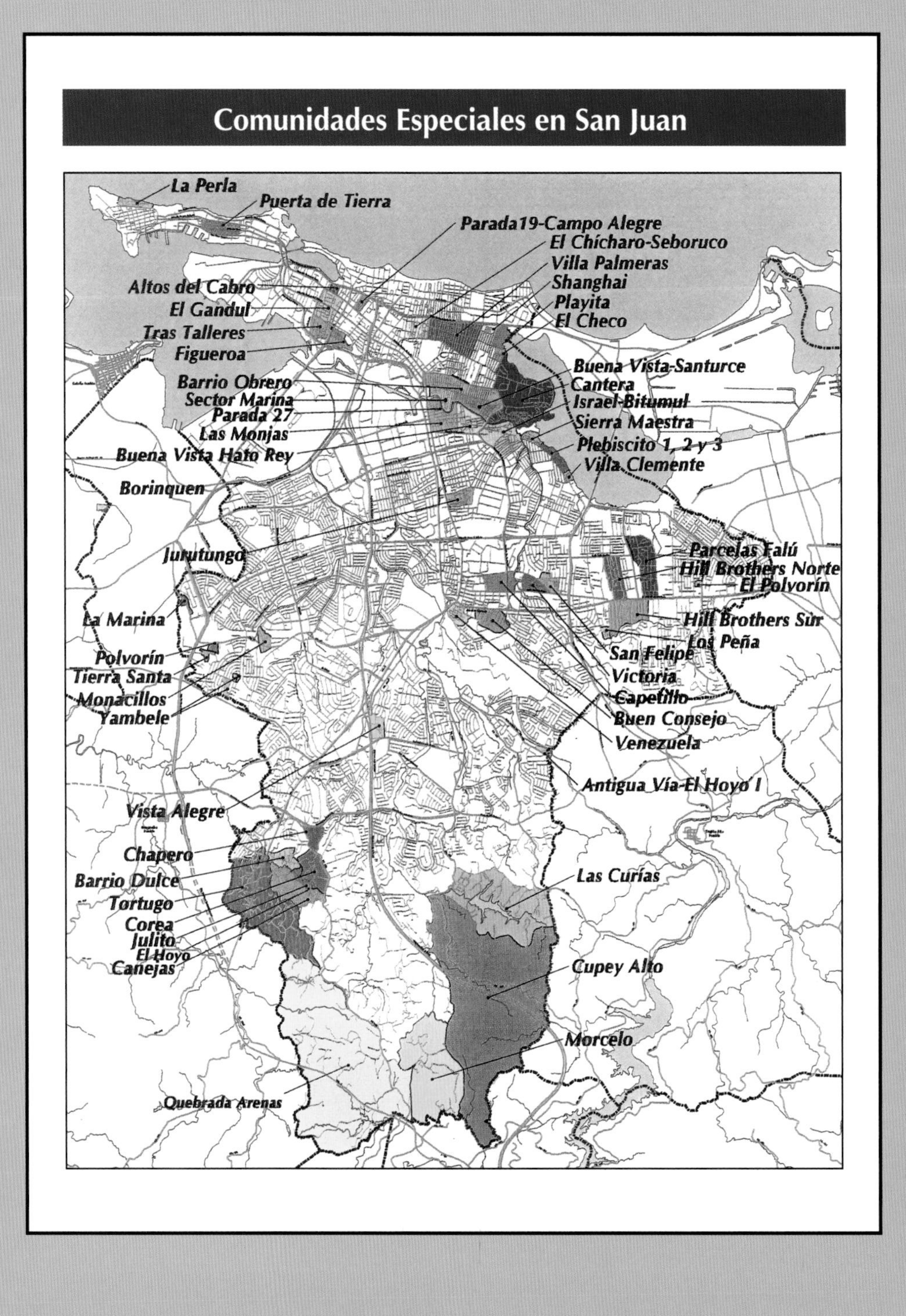

Comunidades Especiales, Plan Ordenación Territorial, 1999
Archivo Fundación Sila M. Calderón

En el fondo, se trataba de un proceso en el que la responsabilidad fuese compartida, en el que el foco principal de las acciones fuese la gente, sus energías y sentido de orgullo y pertenencia. Construir ciudad entrañaba, según esta nueva visión, atender los espacios físicos desde la reconstitución de los espacios sociales y ciudadanos. Tras siglos de comportamientos sociales con fuertes componentes de autoritarismo y patriarcalismo, los nuevos sujetos puertorriqueños, muchos de ellos campesinos, trabajadores urbanos, mujeres, y aún sectores medios con acceso a educación, persistían en actitudes fatalistas y de dependencia. La auto-gestión y la solidaridad, en sus versiones modernas y cívicas no en su modalidad de estrategias de supervivencia premodernas, no pudieron generarse ni tan rápido ni tan ampliamente como requerían los proyectos de reconversión económica e institucional.

La programación y la organización del programa de Comunidades Especiales

En términos programáticos, la Oficina de Comunidades Especiales se adscribió durante el cuatrienio al área de desarrollo social junto al Departamento de Desarrollo Social, la Oficina de la Juventud y la Oficina de la Mujer.[138] Aunque en esta última, por ejemplo, se adelantaron importantes iniciativas, fue la Oficina de las Comunidades Especiales la que obtuvo mayor reconocimiento mediático y de la opinión pública, quizás por la inversión personal de la alcaldesa en el tema de la pobreza. Ahora bien, había mucha interconexión entre las diferentes áreas de acción. Y es que la pobreza tiene a menudo cara de mujer y cara infantil, por lo que se advierte una sincronía natural entre proyectos de una y otra área con el de las Comunidades Especiales.

De los documentos examinados se desprende que la Oficina de Comunidades Especiales, dirigida por Michelle Sudgen, fue desplazándose de intervenciones de limpieza y ornato de espacios, rehabilitación de infraestructura hasta llegar al fomento de la capacitación y las primeras etapas de apoderamiento comunitario. Eso se refleja en la organización de la oficina y la reglamentación correspondiente. En la *Misión de la Oficina*, el foco está dispuesto en la calidad de vida que se piensa asociada a la belleza y limpieza de los lugares de vida.[139] La promoción de acción comunitaria aparece casi como en un segundo plano. Sin embargo, el discurso de las comunidades especiales expresado principalmente por la alcaldesa y replicado en presentaciones y conferencias adjudicó, de manera creciente, importancia al elemento *cultural* de la lucha contra la pobreza, es decir, a la transformación de las mentalidades y de las energías comunitarias.

El análisis presupuestario para el año fiscal 1998-1999 confirma el énfasis en los objetivos y actividades vinculadas a la organización comunitaria. Al recomendar un aumento de más de $1 millón en el presupuesto de la Oficina de Comunidades Especiales, se especificaba que el 81% del aumento estaría destinado a fortalecer y *ampliar el proceso de organización de los residentes*.[140] La atención al proceso organizativo recuerda las operaciones en los años cincuenta de la División de Educación a la Comunidad que intentaron el apoderamiento (aunque no se llamaba así entonces) de las comunidades campesinas en momentos en que despegaba la modernización del país.

discurso de la pobreza

El discurso de la pobreza a lo largo del cuatrienio municipal

En un discurso pronunciado en la Conferencia *Urbi et Orbe* auspiciada por el Centro Rey Juan Carlos I en *New York University* a un año y fracción de haber ocupado la alcaldía, Calderón compartió reflexiones y experiencias sobre *ese ente que se conoce como la ciudad, desde la perspectiva profunda de sus realidades y de sus posibilidades.*[141] Consciente de que las ciudades juegan un rol de trascendencia en un mundo cada vez más globalizado, preguntó en dicha ocasión si las ciudades multiplicaban los problemas de la humanidad o si eran parte de su solución.

Planteó entonces que San Juan era en realidad dos ciudades: una indudablemente moderna, ciudad de oportunidades y desarrollo; la otra era *la ciudad de los que sufren...la ciudad de la promesa, de los rezagados, de los que aún esperan por el fruto del desarrollo.* Era una ciudad escondida, una ciudad olvidada, descripciones que había utilizado en su campaña electoral.[142] La dualidad era inaceptable – en el caso de San Juan y en cualquier ciudad del mundo- y procedía a enumerar las medidas que había comenzado a implantar bajo su gobierno. Entre ellas, *la promoción de la compasión como valor esencial para motivar al ser humano a la acción desprendida y generosa.*[143] La justicia que debía regir en las ciudades no se articulaba necesariamente desde políticas redistributivas sino desde una cultura de filantropía cívica y una dotación de servicios actualizada y eficiente.

Por otro lado, la atención a las ciudades confirmaba la necesidad de fortalecer las gestiones municipales frente a la tendencia centralizadora del poder estatal: *La vida de las personas se lleva a cabo a nivel local. Sus problemas principales son locales y esperan soluciones al alcance de su realidad local.*[144]

En San Juan, el tono público fue menos radical que el utilizado por Calderón ante una audiencia internacional. Durante el mismo año de 1998, y pocos días antes del huracán Georges, la alcaldesa inauguró en El Gandul un parque pasivo, proyecto prioritario identificado por la comunidad. Como parte del programa *Avanzando*, el Banco Santander, había contribuido con $40,000 para la construcción del parque.[145] El Gandul era la primera comunidad donde se había puesto en acción la iniciativa del Banco cuyo objetivo era la revitalización de comunidades mediante préstamos especiales pareados por fondos municipales. El plan piloto de El Gandul otorgó $230,000 en financiamiento de mejoras de viviendas, micro-empresas y compra de equipo de albañilería para la comunidad. En su mensaje, Calderón enfatizó la cooperación gobierno municipal y capital privado. El gobierno central quedaba conspicuamente ausente de la ecuación.

En la inauguración de otro parque pasivo, esta vez en Villa Clemente, y contando con la presencia del congresista Robert Menéndez, demócrata por New Jersey, la alcaldesa reiteró la obligación moral de todos los ciudadanos de San Juan de mirar a la pobreza de frente.[146] Es importante el énfasis que le asigna a la recuperación de espacios públicos en las áreas deprimidas y su vinculación con la calidad de vida. En el caso de Villa Clemente lo que antes era un solar baldío se convertía en una facilidad recreativa para beneficio de 571 familias. Era una obra relativamente pequeña pero con la capacidad de multiplicar efectos en otras áreas de convivencia comunitaria. Puede interpretarse como una velada crítica al afán de obras faraónicas del gobierno central cuando señaló en el mismo mensaje que es en la suma de iniciativas, en la combinación de pequeños y grandes logros donde estriba el éxito de la revitalización de las comunidades y, por ende, de la ciudad.

El huracán Georges de 1998 puso de relieve, con la dureza de su embate, las carencias profundas de las comunidades pobres sanjuaneras pero también el potencial solidario que podía generarse aun en circunstancias penosas. La pobreza quedaba a la vista de todos en lugares en que antes no se veía. No obstante, la alcaldesa rescata el sentido de superación ante la adversidad de las familias afectadas como una compensación sociocultural.[147]

Al año siguiente, la Oficina de Comunidades Especiales organizó la conferencia *Una Ciudad para Todos* con la participación de representaciones de 17 ciudades del hemisferio.[148] Muchos de los planteamientos sobre la asociación estrecha entre ciudad y pobreza reaparecen en el mensaje de la alcaldesa. Una parte de la ponencia está dedicada al tema de la desigualdad en el mundo contemporáneo, incluyendo a Estados Unidos, donde 36.5 millones de personas viven bajo los niveles de pobreza. En cambio, en Puerto Rico casi el 50% de la población vive en condiciones de pobreza y el rostro de esa pobreza es urbano. Si bien la pobreza en San Juan se ubica tanto en barriadas como en residenciales públicos, la presentación destaca la obra municipal en las primeras. Para Calderón, la lucha contra la pobreza tiene que ser integral; el esfuerzo debe aglutinar al sector público, al privado y a las propias comunidades. No puede ser un enfoque político y el entendimiento del cambio debe provenir desde adentro de la comunidad.[149]

¿Cuál es el estado de situación del proyecto de Comunidades Especiales para 1999? Para Calderón se han establecido ya los niveles básicos de confianza, se ha iniciado la fase organizativa y puesto en marcha el programa de obras. Hay confianza en que se pueda adelantar en la etapa de auto-gestión para lo cual recaba más respaldo del sector privado. Quiere establecer con las empresas un Fondo para el Desarrollo Comunitario de San Juan para adelantar la auto-gestión. Señala que el modelo de San Juan podría implantarse en el resto del país porque no hay trabajo más importante en el siglo 21 que combatir la pobreza. Termina con lo que ya para esta época, a un año de las elecciones generales, era un tema reiterado: además de hacer de San Juan una ciudad de todos había que hacer de Puerto Rico un país de todos.[150]

EL HURACÁN GEORGES PUSO DE RELIEVE, LAS CARENCIAS PROFUNDAS DE LAS COMUNIDADES POBRES SANJUANERAS

El 25 de enero del 2000, Calderón inicia las obras de construcción del proyecto de viviendas Pelícano en la comunidad de Cantera, *un lugar especial en mi corazón*.[151] Describe a Pelícano como el proyecto habitacional más ambicioso que se realiza en la Península y uno de los más importantes del Municipio. Alaba el tesón de los residentes y su empeño en lograr un hábitat de calidad para sus familias. Pero su mensaje está matizado inevitablemente por el rol que ya sabe que va a asumir como candidata a la gobernación de Puerto Rico. Está rodeada de los candidatos a alcalde por el PPD y el PNP, por legisladores incumbentes y candidatos del PPD a esas mismas poltronas.

Pelícano se torna en una metáfora de lo que puede hacerse en Puerto Rico si hay unidad y espíritu colectivo y se superan las mezquindades partidistas. Hay, a pesar de las referencias específicas a lo que se ha logrado en Cantera, una referencialidad inescapable a lo que ya Calderón ve como una de las grandes tareas de la gobernación a la que aspira.[152]

balances

Balances

Al concluir su ejercicio municipal, la alcaldesa Calderón condensó su gestión con el tema que había identificado como la prioridad principal de gobierno: la atención a las comunidades y barriadas de escasos recursos, ya para entonces conocidas como Comunidades Especiales. El informe de cierre, a pesar de su carácter obligado de resumen de logros, permite distinguir las principales estrategias de intervención. Es menos lo que nos permite identificar en los renglones más intangibles como lo son: la participación, el apoderamiento, la identidad recobrada, los avances en convivencia, etc., que requieren de instrumentos de análisis más cualitativos.[153] Algunas claves son señaladas en el Segundo Encuentro de Líderes Comunitarios pocos meses antes de terminar su administración. En su mensaje, Calderón insistió en que la lucha contra la pobreza era de índole colectiva y en los modelos de cooperación entre el sector público, los sectores no-gubernamentales y privados.[154]

En ese momento, el informe habla de que la alcaldesa realizó más de 50 visitas a las Comunidades Especiales aunque no se detalla a cuáles y en cuántas ocasiones; para todas se designó un enlace con la Oficina de Comunidades Especiales, pero no se aclara el número de comunidades que tenía a su cargo ni su permanencia como enlace. Esta persona asumía responsabilidades amplias, desde el fomento de las iniciativas comunitarias y la capacitación de otros líderes hasta el establecimiento de enlaces con el sector privado y otros sectores gubernamentales. Dada la persistencia de una cultura de *agencia* tanto en los servidores públicos como en los usuarios de servicios, habría que hacer escrutinio de cuánto de la nueva cultura de servicio que se implantó en el Municipio durante este período se plasmó en las gestiones de los funcionarios-enlace. Una investigación especializada podría arrojar también más luz sobre la composición del liderato comunitario y sus ejecutorias y limitaciones.

El Informe de Cierre registra el estado de situación de los denominados *proyectos prioritarios* que fueron aquellos identificados por los residentes de cada comunidad y a los que se le asignó un presupuesto específico que ascendía en promedio a $250,000. Un análisis de la índole de estos proyectos revela que la mayoría atienden temas de instalaciones recreativas y deportivas e infraestructura como pavimentación, iluminación, agua potable. Dos de las comunidades –Playita y Cupey– identificaron como proyecto prioritario un destacamento de policía.[155]

En el cuatrienio se completaron 31 de estos proyectos prioritarios, 16 estaban todavía en construcción pero a punto de ser completados, seis se hallaban en proceso de subasta , tres ya diseñados aguardaban la aprobación de la comunidad y cuatro estaban todavía en fase de diseño. Lo cual elevaba el total a 60, habiendo recibido algunas comunidades presupuesto para más de un proyecto prioritario.[156]

La preponderancia de instalaciones de recreación y deportes trae a colación algo que planteó Georgie Rosario, Director de Recreación y Deportes de San Juan durante la administración de Calderón en la entrevista que nos concediera a propósito de esta investigación. Uno de sus mayores retos fue armonizar los reclamos por un mayor número de canchas con programación deportiva y recreativa sistematizada para que las instalaciones no se quedaran como construcciones sin actividad organizada y en eventual desuso.[157] Sería valioso conocer en cuántos de estos proyectos se lograron establecer las correlaciones apropiadas.

Es innegable el ámbito de proyectos relacionados con la infraestructura de las comunidades tanto en términos de nuevas construcciones como de programas de limpieza y conservación. Las intervenciones en este renglón acentúan mucho más el tema del mantenimiento, clave en las políticas urbanísticas de la administración Calderón. Desde febrero de 1997 a mayo del 2000, se realizaron 2,830 intervenciones en las comunidades especiales relativas a situaciones de infraestructura y ambiente.[158] Resaltan la limpieza de alcantarillas, remoción de escombros, desyerbo, reparación de aceras y tubería. La regularización del recogido de basura y escombros recibió atención especial mediante el establecimiento de calendarios y la promoción de programas de voluntariado y campañas de limpieza sabatinas. Si bien las estadísticas muestran un alto nivel de intervención y de regularización de servicios, nos preguntamos por el nivel de participación y apoderamiento de los propios residentes en las acciones municipales.

El Informe incluye las iniciativas tendientes a un mayor nivel de compromiso comunitario. Se habla de un 81% de logro en la meta de auto-gestión y organización comunitaria, pero sólo se logró establecer 26 asociaciones de residentes. En el renglón de apoderamiento, que se define en el informe de cierre como la *fase avanzada del proceso de auto-gestión comunitaria*, el índice alcanzado fue de 17%, aunque no se especifican los criterios.[159] En lo tocante a los planes de desarrollo integral incubados en la propia comunidad, los resultados fueron también modestos. Sólo seis comunidades (Capetillo, Victoria, Campo Alegre, Vista Alegre, Las Monjas y Parada 27) lo lograron aunque en el resto hubo algún tipo de avance al establecerse el Plan de Accionistas Comunitarios, tendiente a ayudar a los residentes en su elaboración.

Conferencia de Prensa sobre Comunidades Especiales. Barrio Tras Talleres, 1998

Archivo Fundación Sila M. Calderón

Sí hubo, en cambio, éxitos más constatados en el aspecto de construcción y rehabilitación de viviendas. Se encaminaron en el cuatrienio 37 proyectos de vivienda en el Municipio con una dotación de 2,698 unidades aunque de ellas sólo 405 correspondieron a comunidades especiales. Estas viviendas localizadas en el área de Cantera, Israel, Figueroa y el conjunto Hábitat fueron una inversión conjunta entre el sector privado y fondos municipales.

Por otro lado, el proyecto de la península de Cantera se benefició también de la prioridad asignada a las comunidades de bajos recursos. Como ya había una buena labor de base y se había adelantado en organización comunitaria, Cantera pudo beneficiarse de las asignaciones presupuestarias destinadas al desarrollo comunitario. Se adelantó en la regularización de los títulos de propiedad y en la construcción de viviendas. Habiendo despegado antes con los proyectos de infraestructura, durante el cuatrienio se pudo enfatizar más en el desarrollo de liderazgo comunitario y en la diversificación de servicios, tales como programas de salud, de atención a envejecientes, actividades deportivas y culturales. La comunidad *más cercana a su corazón* le estaba diciendo con sus logros que el apoderamiento comunitario requería de una temporalidad más extendida que permitiese madurar tanto a los residentes como a las autoridades e intereses públicos y privados en el afán de crear por fin la ciudad para todos.

¿Y qué pensaban los residentes de estas comunidades? Rebasa el cometido de esta investigación el acopio de opinión de aquellos que participaron de los proyectos comunitarios auspiciados por la Oficina de Comunidades Especiales. Sí tuvimos la oportunidad de entrevistar a dos líderes comunitarias, una residente del barrio El Gandul, en pleno Santurce; la otra, de Hill Brothers Sur en la Avenida 65 de Infantería. Ambos testimonios nos ayudan a ubicar los resultados promisorios y las líneas de fuga de una iniciativa complicada por sus múltiples aristas y sus ambiciosas metas.

Proyecto de Vivienda Nueva, 2000
Reunión con Residentes Los Pinos, 1999
Visita inspección en Península de Cantera, 1997

Archivo Fundación Sila M. Calderón

El testimonio de Zenaida

Eso de ser líder comunitaria fue para Zenaida Rivera[160] como una segunda profesión, en el sentido de una nueva dedicación y responsabilidad. Lo de líder ya tenía historia. Después de su retiro en 1993 de la Autoridad de Energía Eléctrica, *me dediqué a ser líder comunitaria*. Presidió la organización El Gandul Reverdece que ya existía en el barrio santurcino. Entonces, *cuando Sila empezó con eso de Comunidades Especiales, nos inscribimos en el Departamento de Estado*. Siendo jubilada, nos dice, no tenía mucho que hacer y entonces decidió ayudar a la comunidad.

Los primeros proyectos que emprendió en esta nueva faceta de su vida corren paralelos a las prioridades iniciales del programa de Comunidades Especiales: limpiar aceras y terrenos baldíos, recoger chatarra, limpiar alcantarillas, pintar encintados. Fue una colaboración entre los vecinos, el municipio y grupos privados como el Club de Leones y el Banco Santander.

El Gandul tiene 14 calles que discurren desde la Ponce de León hasta la Calle Las Palmas, frente a Bahía. *Porque del lado de acá de Bahía pertenece a Trastalleres*. Al momento de empezar a trabajar de manera activa en su comunidad pensaba que el principal problema era la basura. Había que educar, concienciar a las personas por la chatarra, las bolsas de basura dejadas por ahí, por los deambulantes, *porque tenemos una gran cantidad de ellos*. Cuando fue entrevistada, todavía lo creía. Pero su testimonio también destila una preocupación por el trato discriminatorio que sufre El Gandul *porque desde la Parada 15 hasta la Parada 23, tenemos diez entidades que dan servicio a los deambulantes, porque todo el mundo quiere poner estas entidades, aquí nada más*.

Como otros vecinos, Zenaida especula si el establecer centros de ayuda a deambulantes o de rescate de usuarios de drogas, no termina por atraerlos más al área. Identifica, sin realmente proponérselo, la limitación lógica de los programas de atención a las personas sin hogar o afectados por la adicción: *con mucho fervor y compromiso ofrecen esa asistencia que permite que la vida continúe para estas vidas afligidas, pero habiendo pocas instalaciones para tratamiento y recuperación, su efecto a largo plazo es casi siempre nulo*.

Zenaida apunta al hecho de que a mediados de la década de los ochenta se comienza a percibir una mayor concentración de personas sin hogar, con los problemas típicos de la dependencia. Pero confiesa que para entonces –entre el trabajo y la casa– no me daba cuenta de la seriedad del asunto: *Fue cuando me jubilé que empecé a ver todo esto, toda la basura, tenía tiempo de caminar por todo esto, entonces dije diablos pero está horrible. Ahí fue cuando ingresé a El Gandul Reverdece*.

Entonces en 1997 comenzaron a llegar los enlaces a la comunidad. Primero Orlando, luego Evelyn. Eran gente del Municipio que venía a las reuniones comunitarias: *El enlace nos vino a explicar lo que se buscaba con ese programa y qué era lo que el municipio buscaba al comunicarse con los líderes comunitarios de cada comunidad, qué era lo que nosotros teníamos que hacer para canalizar nuestras quejas. Todos los meses nos reuníamos con los enlaces*.

Para el verano de 1997, tuvieron una gran campaña de limpieza. Y desde ese momento, se regularizaron las relaciones entre el municipio y la Comunidad. Zenaida y otros líderes asistían a los seminarios y talleres de organización y capacitación. Para la líder comunitaria hubo una transición importante: *Los seminarios y talleres nos capacitaban cada vez más para poder bregar con las situaciones, y poder bregar con los residentes, y cómo poder dirigirme a la gente para que no se fueran a ofender y molestar con uno. Nos daban muchísimos talleres, te digo que fueron los años más exitosos de comunidades especiales.*

Valora en especial la capacitación que recibió en micro-empresas y la asistencia que les ofreció el Banco Santander, aconsejando a los residentes que querían establecer su negocio propio. Más de treinta residentes se integraron a estos talleres de micro-empresas. Una señora dominicana pudo establecer su negocio de *catering*; otra pudo adquirir una máquina de coser industrial. Lo que nos lleva a preguntarle sobre las relaciones entre puertorriqueños y dominicanos, siendo el barrio uno de los principales receptores de inmigrantes procedentes de la República Dominicana. Zenaida nos cuenta que los dominicanos ejercían mayor liderato en ocasiones que los puertorriqueños. Había más disposición en ellos para organizarse y muchos de los residentes dominicanos eran los más activos en hacerse de su propio negocio. Nuestra entrevistada se ríe: *eso refleja más o menos la composición del barrio, la mayoría de la población es migrante.*

Durante ese mismo tiempo se acondicionó el Centro Comunal ubicado en la Calle Monserrate y se le añadió una segunda planta gracias a una propuesta elaborada por la propia Zenaida. Se identificó mediante censo que los residentes querían un parque pasivo como proyecto prioritario y se consiguió que el gobierno expropiara un terreno baldío aledaño: *Lo tenían de vertedero, entonces nosotros hablamos, le hicimos la propuesta al municipio de que expropiara ese terreno que era privado, de que lo expropiara porque también hicimos un censo en la comunidad de qué la comunidad quería. Fuimos por todas las calles haciendo un censo, si querían un centro para envejecientes, si querían un un parque pasivo, o si querían una cancha de baloncesto. Eran las tres alternativas, primero ganó el parque pasivo porque aquí los niños no tienen dónde jugar.* Santander donó 40,000 dólares para hacer el parque pasivo y entonces el Municipio les hizo el Parque.

Después que se hizo el parque, Zenaida le hizo una propuesta al Instituto de Cultura, *porque si tu te fijas hay una pared bien grande y en esa pared yo dije, eso sería bien bonito hacer un mural, pues se le hizo una propuesta al Instituto de Cultura, el Instituto de Cultura nos asignó cinco mil dólares. Nos asignó también una maestra, para que la maestra viniera todos los sábados a dar clase a los niños de la comunidad, clases de pintura. Para yo poder comprar toda esa pintura, que yo no sabía que esa pintura era carísima, sí, yo nunca en mi vida había visto pinturas tan caras, pues ya los cinco mil dólares se nos fueron en las pinturas. Entonces tuvimos que pedirle donaciones a Santander, que también nos donó pintura y a R.G. y Café Yaucono que es del área.* La ferretería les donó brochas, y una carpa, para que los niños se guarecieran del sol fuerte mientras estuvieran en el parque pintando.

La comunidad mejoraba y el parque fue quedando bonito. No obstante, la situación con los deambulantes no mejoraba: *volvemos a lo mismo que entonces los deambulantes se meten ahí, hacen sus necesidades, dejan las agujas, dejan su ropa... Al fin conseguimos que nos mandaran un guardia, fui donde el alcalde hace poco y le dije que estábamos teniendo problemas porque los niños del Head Start no podían venir a jugar al parque pasivo porque tú sabes el peligro que es que se encuentran una aguja...*

Al concretarse el proyecto del parque, la comunidad atisbó otras posibilidades para los niños: *Entonces yo le hice una propuesta de participación ciudadana en el 1999 y nos asignaron ciento nueve mil dólares. Porque yo lo que quería allí era hacer una biblioteca para darle tutoría a los niños, darles clases de música, de baile, de artesanía, todas las clases que se le pudieran dar a los niños.* Eso no se consiguió. Viene el cambio de gobierno y la iniciativa comunitaria ya no prosperó a nivel municipal. Zenaida no se amilanó y la presentó ante el programa de Comunidades Especiales insular, una vez que Calderón fue electa gobernadora. Al momento de la entrevista en 2005 ya le habían asignado presupuesto y diseñado los planos. Zenaida sueña con que pueda establecerse allí una escuela de danza. Dice que la compañía Andanza se ofreció para ofrecer las clases a los niños: *Ya una vez vino Andanza y dieron una clase en un salón de la escuela Maestro Cordero porque ya no me prestan el centro comunal.*

Cuando Zenaida podía organizar actividades allí, se hicieron fiestas de Navidad y fiestas para el Día de las Madres y se escogió una *Madre Ejemplar.* También venían sicólogos a ofrecer seminarios de motivación y de cómo manejar problemas individuales y colectivos, como la crianza de los hijos. De lo que se siente orgullosa es del proyecto de tutorías a los niños: *Ahí nos ayudaba la Fondita de Jesús con las meriendas a los niños. Se daban a las tres de la tarde después que los niños de la Ruiz Belvis salían, en un salón de la iglesia que les facilitaba el pastor.*

Reclutó tutores de los colegios cercanos, San Vicente de Paúl, y del Perpetuo Socorro. *Todavía me dicen missy, los niños me ven por ahí y me dicen missy, missy. Sí, yo te digo que yo me sentí bien satisfecha con ese programa porque de verdad fue una satisfacción bien grande ver que los niños habían progresado en la escuela. Muchos que no sabían ni leer ni escribir; se le enseñaba a sumar a restar, a escribir, a leer y a escribir aquello era... que le daban todos los días, todos los días porque de verdad que era serio. Habían niños de quinto grado que uno decía, ¿cómo este niño ha pasado de grado? Era una cosa increíble, una cosa increíble, increíble ver esos niños. Tú tenías que empezar como si fuera un nene de primer grado a enseñarle a escribir bien, enseñarle a sumar, a restar, dos más dos, tres más... Eso me impactó mucho, yo ver esos niños tan, tan rezagados en la escuela.*

Para Zenaida las cosas cambiaron a partir del 2000. El Gandul Reverdece dejó de existir; la Oficina de Comunidades Especiales del municipio también. Ahora se llama Comunidades al Día, pero la líder comunitaria siente que el ímpetu y la motivación ya no están ahí. Actividades periódicas como la limpieza de calles y solares, de alcantarillas y vertederos *no se programan como antes donde cada seis meses, dependiendo cómo nosotros veíamos El Gandul, con las chatarras y los vertederos públicos, todo eso entonces nosotros organizábamos una limpieza e invitábamos a los residentes, y los residentes cooperaban con la limpieza porque nosotros íbamos residencia por residencia y les decíamos mira vamos a limpiar tus calles, tal día, tú coges tu calle, sacas la escoba, sacas el la escobilla, y saca todo y nos ayudas a limpiar tu calle, y así nos envolvíamos, tu sabes no le pedíamos que limpiáramos todo El Gandul, pero, los envolvíamos que por lo menos en su calle.*

Hasta teníamos –nos dice– *guardianes del ambiente en cada calle. El guardián del ambiente me llamaba y me decía: Mira Zenaida, en tal esquina de mi calle dejaron una chatarra, o dejaron unos escombros, o dejaron unas basuras, o hay una alcantarilla desbordándose de agua. Yo le cogía la nota, yo llamaba a la agencia que fuera y entonces, pues yo le llevaba el seguimiento a la querella. Y después, yo llamaba a la persona. Mira: ¿se arregló esto?, yo decía: ¿se arregló lo que tú me dijiste? Si me decía que no, pues yo volvía y llamaba y le daba seguimiento.*

Le preguntamos a Zenaida qué hacía si por más gestiones no había resultado: *Si yo veía que ese seguimiento no era efectivo, pues yo llamaba a Comunidades Especiales y decía: Mira, yo reporté tal alcantarilla, tal día, hablé con Fulano de Tal, me dieron tal número de querella, he llamado ya tres veces y no he visto los resultado, entonces, ellos llamaban desde allá. Parece que tenían otros enlaces más... como te digo porque uno tenía que hablar... entonces ellos nos resolvían todo eso...*

Se fue convirtiendo en una tarea de tiempo completo: *Porque acuérdate, aparte que yo era bien activa, que yo escribo una carta y si no me contestan yo le doy seguimiento, o sea que yo no dejo que se mueran las cosas, no yo sigo ahí, ahí como la machaca...y en eso pues, como yo decía esto tiene que mejorar, tiene que mejorar, yo he hablado con la gente, mira no me tires basura aquí en la calle, ah es que no tengo zafacón, ah, pues yo te busco el zafacón, no te preocupes.*

EducArte, el programa municipal que fomentaba la producción de cultura por las propias comunidades, estuvo ofreciendo clases en el Centro Comunal durante seis meses. El director de cine Pedro Adorno y el cantante Welmo Romero fueron algunos de sus mentores. Participaron como 15 muchachos de la comunidad, entre diez y dieciocho años. Recuerda Zenaida: *Las muchachas hicieron una obra, hicieron como un escrito de la Historia de El Gandul también. Las mismas muchachas, las muchachas adolescentes que cogieron esas clases de Educ-Arte, entonces hicieron una obra bien bonita y la presentaron. Se les dio la clase de cómo escribir la historia del Gandul, que ellos también la escribieron, la historia de El Gandul y por qué se le llama Gandul; cómo era que ellos pensaban que por qué se le llama El Gandul.*

Zenaida nos narra la historia del barrio, la que las jóvenes convirtieron en obra de teatro:
Anteriormente aquí lo que habían eran mucho gandules, y entonces todos estos terrenos eran unos de Figueroa, de la familia Figueroa, otros de Peña y de la familia Balbás. El Gandul se creó con gente de otros pueblos de la isla. Tú sabes que como venían a trabajar acá a San Juan de los pueblos de la isla, además el tren, pasaba por aquí por Trastalleres.

Zenaida tiene todavía contacto con líderes de otras comunidades y se reúne con ellos en la Coalición de Líderes Comunitarios. Allí están los de Capetillo, San José, Falú, las de Plebiscito 1, 2 y 3. En esas reuniones le parece que no ha pasado el tiempo y que todavía es líder comunitario de El Gandul y que la comunidad sigue trabajando por sacar la basura, la chatarra y hacer que los deambulantes reciban tratamiento: *Yo te diría que cada tres meses, cada seis meses, la alcaldesa nos llamaba a los líderes para reunirse con nosotros y cómo te digo, era para oírnos y escuchar si nosotros teníamos alguna queja del Proyecto de Comunidades Especiales. Aún durante la gobernación, ella seguía dándole, tú sabes como es un proyecto de ella, ella pues quiere que este proyecto siga entonces pues nos reunía bastante, nos reunía mucho, mucho. Yo me siento muy contenta y muy satisfecha de todo lo que yo logré y de todo lo que logró El Gandul Reverdece, porque no era yo sola, era el grupo, tu sabes que todos trabajamos en equipo, juntos, todos.*

El testimonio de Carmen

Se ha vuelto una referencia a la que hay que acudir cuando se habla de acción comunitaria. Carmen Villanueva[161] se mueve con facilidad en el espacio público, en el espacio comunitario y tiene a su haber una carrera profesional de muchos años en la empresa privada. Hill Brothers Sur es una comunidad en la 65 de Infantería, es su hogar y su frente de lucha. Según Carmen, *mal censada, la comunidad debe tener 1,500 estructuras.* Por promedio en cada casa viven de cinco a seis personas, así que debe haber como una población de seis mil habitantes. Desde que se recuerda ha asumido liderato. No le asusta la responsabilidad ni le cansan las horas interminables haciendo las rondas de las agencias de gobierno para lograr que se aceleren los proyectos de mejora para su comunidad y para otras comunidades especiales.

¿Qué motiva a esta mujer a asumir tareas que pueden traer grandes satisfacciones, pero también decepciones? Por supuesto, hay un afán de equidad, de poder superar las limitaciones, muchas de ellas impuestas, que agobian a una comunidad y la mantienen en la noria de la pobreza. Pero también hay razones muy personales, muy autobiográficas que asignan rutas: *A los diez años, un familiar, por hacer daño aparentemente, me revela que yo no soy hija de mi papá, que yo soy adoptada, algo que hasta ese entonces yo no sabía. Y entonces esto me, me causa una angustia increíble y voy a la capilla. A una capilla que mi papá había construido y que todavía existe... yo tenía diez años y entonces pues mi papá me enseña que los hijos naturales pues hay que aceptarlos porque no hay más remedio, porque llegaron, pero en el caso mío pues tuve un privilegio porque fui escogida. Y, pues él me dio una señal tan especial porque me comparó con Cristo porque él también fue elegido, ¿no? Así que yo tomé la decisión desde ese entonces de servir a otros, de dar mi vida por otra gente porque mis papás lo estaban dando por mí.*

Pues eso yo creo que me hizo crecer y de ahí entonces pues eso ha sido un compromiso de vida... porque en esto la paga es básicamente, pues el ver a la gente bien. Que estén pasando las cosas. Mucha gente dice: no, lo que pasa es que ella tiene posiblemente el complejo de inferioridad y quiere hacer brillar. Yo no quiero brillar, yo no salgo mucho, cuando salgo en la prensa es porque me buscan. Este, claro, el líder tiene unas características que es que toma la dirección, que quiere acción, y si eso es lo que la gente piensa que es querer brillar, pues no me importa.

¿Cómo estrenaste liderato? le preguntamos. Sabemos que las responsabilidades llegan de muchas maneras, a veces hay personas que resultan líderes sin que se lo hubiesen propuesto. *Fue para el año setenta, por ahí, pues fui presidenta de las Hijas de María en la comunidad. Fue mi comienzo, desde actividades teatrales, colecta de fondos, eh, iniciación de las hijas de María. Después fui la capitana del equipo de volleyball de la comunidad. Esto para mí fue señal de liderato, ¿no?*

El liderato comunitario que tiene credibilidad es a menudo aquél que se enfrenta a la desigualdad; que no la esconde debajo de la alfombra sino que la exhibe y espera respuestas: *Tres varones y esta servidora, yo no tenía ni catorce años cuando Hernán Padilla era alcalde. Lo que ahora mismo es nuestra cancha, era un almacén de vivienda y estaba abandonado. Y entonces pues nosotros nos acostamos en la calle cuando él visitó la comunidad y entonces le dijimos que nosotros necesitábamos una cancha porque no teníamos cancha en nuestra área. La cancha más cercana era la de Highland Park, pero por más que nosotros estábamos allí ayudando y arreglando lo que faltaba, éramos los que pintábamos y todo, pues sentíamos un rechazo. No era justo. Y el caballero tomó acción a los seis meses; eso sí era un gobierno compartido, para aquel entonces yo creo que el gobernador era Hernández Colón, y era el dueño de los predios porque pertenecía a Vivienda y Padilla era el alcalde. Pidió permiso, construyó la cancha y todos felices. ¡Eso es un gobierno compartido! No lo que tenemos ahora que realmente de compartir no tiene nada. Y eso pues fueron mis pininos. Ya en el 1987, en una asamblea de comunidad, me nombran presidenta de lo que es la Asociación de Residentes de Hill Brothers Sur. Ya he estado en cuatro elecciones, y siempre re-electa.*

Hill Brothers Sur, como también es el caso de El Gandul, es una comunidad que estaba organizada previo al despegue del Programa de Comunidades Especiales. Incluso, en el caso de Hill Brothers Sur se había establecido un plan de trabajo a dos años, a largo y a corto plazo, segmentado por áreas de necesidad como la vivienda, recreación, deportes, seguridad, salud, y recursos naturales.

Y ¿quién lo diseñó? *Esta servidora, porque vengo de la banca y entonces a base de mi trabajo de auditora por veinte años de una institución privada pues creí que el trabajo comunitario también tenía que ir por el mismo lado. Teníamos que tener un plan de trabajo con metas definidas tanto a largo como a corto plazo. Saber cuáles eran nuestras fuentes de ingreso o recursos. Mira, lo que se necesita es madurez organizativa; no tiene que haber un vellón para saber administrar los recursos. Al principio ni la misma Sila podía creer el nivel que ya teníamos de autogestión.*

Así que cuando se inicia el proyecto de las Comunidades Especiales, una de las comunidades modelos, la comunidad Hill Brothers Sur, sabía lo que quería: *Entonces nosotros hicimos una carta al Municipio para que nos diera una oportunidad de expresar lo que queríamos para nuestra comunidad. Y en aquel entonces una de las ayudantes de la alcaldesa nos llama y nosotros vamos a su oficina. Y entonces le presentamos nuestro plan de trabajo y ella dijo: eso es lo que nosotros queremos para abrir una oficina, que queremos llamar la Oficina de Comunidades Especiales. Y yo le dije: ¡De verdad! Pues mira, esto es parte de lo que nosotros entendemos que una comunidad organizada debe tener.*

La identificación de las necesidades fue más allá del señalamiento de carencias en infraestructura: *En el caso de salud nosotros pensamos en nuestros viejos. Qué alternativas podíamos tenerle: pues amas de llave, clínicas directas a su hogar. Hasta pensamos en una orientación a la población más joven para que todos pudiéramos aprender de las necesidades de sus viejos. Había un punto bien importante que era pues verificar las áreas de recursos naturales. Nosotros tenemos una quebrada y nos preocupaba si cumplía con los estándares de salubridad. Por aquí hay muchos hojalateros que contaminan el ambiente. Pues que vinieran de ARPE y de la Junta de Planificación para orientarlos. No sacarlos, orientarlos sobre qué tenían que hacer para no contaminar el ambiente. Y eso estaba en nuestro plan de trabajo, unas cosas a corto plazo y otras cosas a largo plazo.*

Queremos saber qué se logró de ese plan de trabajo. Entonces habla Carmen, la auditora: *Yo diría que el ochenta porciento de todo. Por ejemplo, queríamos policías comunitarios los tuvimos, queríamos y tuvimos un campamento de verano. Sobre esto quiero plantear algo que me parece importante: Es un error pensar que todas las comunidades son iguales y que necesitan lo mismo o que quieren lo mismo. Fíjate, la mayoría de nuestra gente, no espera por los cupones; es más yo difiero totalmente que en las Comunidades Especiales la gente está esperando de los cupones, en mi comunidad el 95% de la gente trabaja, son jubilados, han sido profesionales, y ahora están viviendo de su salario, su retiro o de su jubilación. A veces los funcionarios fallan y le aplican a Hill Brothers Sur unos parámetros que no corresponden. Y entonces, pues a veces no me podía comparar con esos estándares que me ponían porque no me veía, siempre yo vi una comunidad trabajadora. Así que tuvimos la policía de la comunidad, tuvimos el campamento de verano, tuvimos el área de recreación y deportes que es tan importante.*

A la antigua jugadora de volleyball le gusta el deporte y la competencia pero esa instalación deportiva por la que lucharon tenía otra razón de ser: *Ahí es que podíamos orientar a los jóvenes, a la gente mayor. Era un espacio importante porque queríamos utilizarlo por si llegaba un momento de emergencia como un centro de acopio y, fíjate, llegó Georges. Nosotros en agosto lo inauguramos y en septiembre Georges. Y utilizamos aquel lugar para dar servicio a mil quinientas personas. Allí llevamos voluntarios y la gente de FEMA nos dio un certificado porque no podían entender que personas voluntarias llegábamos a las siete y nos íbamos a las once de la noche, llenáramos los documentos y volvíamos al otro día.*

Ese mismo funcionario de FEMA le decía que no entendía cómo Carmen se metía en todo este trabajo de comunidad sin recibir ningún beneficio: *Yo le dije: pero es que si no lo hacemos nosotros el gobierno se atrasa, nosotros entonces tenemos que detener todos los procesos para nuestra comunidad, se nos va a enfermar la gente, no viene comida, y yo creo que: ¡hello! la solidaridad debe estar ante todo.*

No se considera heroína ni que esté haciendo nada nuevo. Carmen está consciente de que historias de solidaridad que le preceden: *Y yo creo que lo que yo hago lo aprendí de otra generación que yo vi que era solidaria. Mi comunidad tuvo una cooperativa, desde los años cuarenta hasta el cincuenta y cinco. Era una cooperativa de hacer las casas. Donde ahora tenemos cancha y biblioteca, eso era en sus comienzos el comedor común, de la comunidad. Y en ese comedor común la gente hacía funche para la comunidad. O sea que yo no estoy haciendo nada que no haya aprendido. Cuando hablan de autogestión creo que mi comunidad desde sus inicios estuvo haciéndola.*

Carmen insiste en la capacidad de la comunidad para decidir y gestionar lo que quiere, de trabajar como iguales con expertos: *Lo que es nuestra cancha es un complejo deportivo enorme, cerrado totalmente con duchas, baños, está diseñado por la propia comunidad a través de la Escuela de Arquitectura con el gran Edwin Quiles que nos prestó sus estudiantes y él tuvo una herramienta de educación porque fue un proceso de adiestramiento para sus estudiantes y por otro lado un proceso de aprendizaje de la comunidad. De poder mezclarse, eh, pues técnicos junto con la comunidad para llevar un producto final.*

Hay un convencimiento de que el proyecto de Comunidades Especiales constituye una profunda modificación entre los gobernantes y gobernados. Al menos, eso es lo que a Carmen le parece más loable de la legislación: *Porque yo creo que la ley de Comunidades Especiales lo que aportó a la autogestión es que la hace institucional, la hace obligatoria a través de una ley. Pero más importante es que crea un espacio de participación ciudadana, de que nosotros somos los dueños de la última palabra de lo que se va a hacer en nuestra comunidad. La gente se ha dejado llevar por la palabra especiales más que de la profundidad de la ley. Y la ley es la mejor ley que tiene el país ahora mismo. Cuando me hablan del proyecto de Comunidades Especiales: ¿qué cambio ha habido? Lo más importante, que nos están mirando. Que ahora, cuando solicitamos porque el gobierno haga lo que se supone, ocurre más rápido. A quién le exijo que venga. Pero, más allá de esto, de donde provengo me siento bien orgullosa que es una comunidad de acción. He estado en otras comunidades donde la acción no ha sido así. Donde he visto que es mucho más lenta, que, pues que la gente no se involucra tanto. Pero mi comunidad se exige tanto, porque se sienten tan, tan, tan dueños de la acción que ser líder en esa comunidad es más difícil. A cada rato te dicen: Mira no se está haciendo esto y por qué no hay ahí esto. En otro sitio como que yo he visto que la gente está esperando que la caterpillar le pase por encima. Aquí no.*

Es tan buena la ley que los alcaldes están llorando, ¿por qué? Porque se supone que tú hayas creado la función de alcalde para estar más cercano a la ciudadanía y a veces no es así. Muchas veces, el alcalde está más alejado de la ciudadanía. Así que esta ley, provoca que todo el mundo tenga que mirar las comunidades que fueron abandonadas por siglos y que no es que venga el mantengo, es darle, darle espacio de infraestructura que se supone que el gobierno provee y que no, no lo había dado. ¿Qué se logró más allá? El respeto. Yo no estaba inscrita, no había votado hasta esas elecciones y Sila María Calderón lo sabía. Y había un respeto de sentarme a la mesa a negociar por mi comunidad porque yo era la voz de mi comunidad. Y eso se tiene que dar, se tiene que dar en el país. El respeto a una comunidad que no está mendigando. Que está exigiendo lo que es su espacio.

Lo del espacio tiene más de un significado para la líder comunitaria. Hill Brothers Sur está enclavada en una ubicación geográfica de privilegio y sabe que si los residentes no fortalecen la comunidad, pueden perderla a manos de intereses ajenos: *Porque las barriadas, las parcelas y arrabales que son a los que realmente la ley protege están expuestos a muchos que son los corruptos del país. ¿Por qué? Porque estamos en la mejor localización. Tenemos los mejores terrenos. Yo temo por la 65 de Infantería, y esa es la más, o sea, la más cercana a la 65 de Infantería tanto Hill Brothers Norte como Hill Brothers Sur. Porque ni las urbanizaciones están tan céntricas como nosotros. Yo creo que ya en el país tenemos que darnos cuenta que el espacio es limitado. Que para el total de gente que tenemos hay que hacer las cosas verticales, no horizontales y si no lo habíamos aprendido, pues hay que aprenderlo. El recurso natural que tenemos lo estamos matando y no va a dar ni para nosotros ni para las otras generaciones. Hay coraje porque hemos sido siempre mantenidos al margen de lo que es el desarrollo y yo creo que ese es el coraje que tenemos todos los puertorriqueños que queremos que nuestro país salga a flote.*

No se trata del coraje que dan los resentimientos. Es más bien el coraje de la valentía, de un arrojo, de una capacidad para actuar, no para padecer.

Dos comunidades geográfica y socialmente distintas; dos testimonios que describen e interpretan la experiencia de comunidad en función de un proyecto social amplio que volvía a mirar la pobreza urbana. Son testimonios de lo alcanzado, de lo que aguarda por completarse, de los que estuvieron haciendo comunidad en la ciudad.

Proyecto de Mejoras en la comunidad Jurutungo, 1998

Archivo Fundación Sila M. Calderón

La ciudad y su alcaldesa

ENTREVISTA A SILA MARÍA CALDERÓN

Soy una persona de ciudad, nos dice como punto de partida de una conversación sobre San Juan y su gestión como alcaldesa. Desde su oficina, el panorama citadino es de contrastes: los edificios de estilo internacional junto a las calles tradicionales de las comunidades de Santurce y Hato Rey que se convirtieron primero en escenarios de campaña y luego de un programa ambicioso –aunque de resultados mixtos- de rehabilitación. Está en un momento de transición profesional. En poco tiempo piensa sentar sus reales en Río Piedras, específicamente en el barrio de Santa Rita donde se construye el *Centro para Puerto Rico.* Lo que se propone con el Centro es crear un espacio de gestión, diálogo, educación y de investigación que pueda incidir en la marcha de las cosas. No va a ser un lugar sólo para académicos aunque está cerca de la Universidad y los universitarios tendrán una presencia importante en las investigaciones. Será un lugar de encuentro en el que haya divulgación amplia y accesible de lo que allí se logre; una sede que propicie el fortalecimiento de redes comunitarias.

El Centro es su proyecto post gobernación, pero acoge los intereses que la han acompañado durante mucho tiempo y que estuvieron conspicuamente presentes en sus años en la alcaldía de San Juan. La ciudad es uno de ellos, junto a los asuntos de la mujer, las comunidades y la ética en la administración pública. Es importante, reitera, que miremos una y otra vez a la ciudad. Ella lo ha estado haciendo desde pequeña. Creció en pleno corazón santurcino y conoce sus calles y callejuelas de tanto correr bicicleta. A instancias de su padre, viajó por ciertas ciudades que le dejaron impresiones de por vida. *Viaja y mira, me decía.* Mirando ciudades fue que se desarrolló su sentido visual y su gusto estético. *En Puerto Rico hay tanta gente con recursos que no viaja... ¿Cómo pueden soñar una ciudad sin conocer otras?* Con el tiempo, le interesó también cómo funcionaban las ciudades: *A la gente le parece Nueva York un lugar que asusta y dicen que allí no se puede vivir. Pues bien, una de las cosas que más me gusta de esa ciudad es que funciona. Nueva York, con toda su complejidad, funciona.*

Alguien le dijo en una ocasión que la misión de un alcalde era traer felicidad a su ciudad. Puede sonar idealista o quizás cursi pero la felicidad –se apresura a asegurar es un asunto serio, un asunto profundo. Una ciudad amable para sus habitantes, limpia, en orden, con belleza, permite a sus habitantes cierta superación de sus ámbitos personales que a veces los limitan, los abacoran. La ciudad debe compensar, no aumentar la infelicidad o las limitaciones de un individuo.

Cuando la ciudad se engalanó en la primera Navidad que estuvo como alcaldesa, tenía en su mente la experiencia de ver a Madrid listo para las fiestas. Entonces, disfrutando del panorama de una ciudad adornada con gusto para habitantes y visitantes se preguntó: *¿Por qué no en San Juan? ¿Es que no tenemos derecho a vivir experiencias estéticas en la ciudad? Rodearse de cosas bellas, fomentar la belleza de la ciudad no puede considerarse como algo frívolo. La fealdad y el desorden no pueden ser el destino de San Juan, aún cuando no seamos una ciudad de un país rico.*

Años antes de pensar siquiera en presentarse a un cargo electivo, mientras era Secretaria de la Gobernación durante la gobernación de Hernández Colón, se le encomendó preparar la ciudad para la visita de los Reyes de España en 1987. Aquello pudo haber sido una misión puntual como cuando nos visita alguien en nuestra casa a quien queremos impresionar o agradar. Hacemos entonces una limpieza profunda, ponemos adornos, en fin, nos esmeramos. Con los Reyes pudo ser algo similar pero pasó algo distinto. *Toqué la ciudad*, recuerda, y me reencontré con el espacio urbano de mi niñez y adolescencia que había cambiado mucho y que ahora me pedía una atención distinta. Con el publicista Enrique Martí y el arquitecto Luis Sierra, con Darío Hernández, Secretario de Obras Públicas, se quitaron millas de *cyclon fence*, se ajardinaron caminos y plazas y se arreglaron luminarias. Le viene a la mente la voluntad y energía del arquitecto Mariano Coronas, a la sazón director de la Oficina de Preservación Histórica, adscrita a La Fortaleza.

A algunos les pareció gasto innecesario, Calderón lo vio como una inversión imprescindible. Quizás lo fue no sólo para la ciudad sino para ella misma. Lo urbano ocupaba ya un territorio de vocación. En el tiempo en que estuvo como Secretaria de la Gobernación en La Fortaleza coordinó otros proyectos de envergadura urbanística como Ponce en Marcha y Ballajá, de iniciativa de Rafael Hernández Colón. Calderón suplió desde La Fortaleza una atención ejecutiva que todo proyecto de tal escala necesita. El gigantesco programa fue en primera instancia un esfuerzo para sacar a Ponce del marasmo económico, pero se nutrió de las energías cívicas que deseaban recuperar la identidad y la vida del casco histórico y de la región.

Por su parte, Ponce en Marcha le hizo ver lo necesario de una visión en grande para todo proyecto de revitalización de ciudad. Las obras podían ser múltiples pero debía haber un concepto que le diera coherencia. Vuelve a recordar la sensibilidad de su padre porque el *concepto* tiene un contenido visual indispensable y en ello ve un legado paterno. Lo estético, agrega, no tiene por qué ser exceso. Más bien, es una armonía, cierta serenidad. Puede ser un sendero de flores. Piensa que el salto industrial de Puerto Rico fue un proceso sin pausa en el que los recursos se destinaron casi en su totalidad a obras funcionales. Lo demás se veía como derroche, como lujo. En retrospectiva, faltó un balance que ahora tenemos que provocar. Nuestras ciudades son ejemplos de cómo necesitamos ese balance, ese gusto por la sobriedad y la serenidad.

Cada funcionario, cada líder político le insufla al cargo los atributos de su personalidad. Eso es inevitable. Calderón se describe como *muy exigente* pero hace la salvedad de que como ella se exige a sí misma, los demás suelen aceptar sus insistencias. Las entrevistas a sus colaboradores lo confirman. No hubo quien no recordara alguna anécdota sobre su legendaria disciplina de trabajo. Con un guiño de intimidad enuncia: *no soporto la indolencia.*

A propósito de su sentido del deber se lo achaca en parte a su educación por monjas a las que les reconoce también haberle transmitido el amor a la lectura y el esmero en la escritura. Admite algunos excesos, impaciencias que la llevaron en ocasiones a tomar decisiones que precisaban más ponderación. Pero, al final del camino, siempre hay un fruto más maduro que compensa por los errores.

Cuando llegó a la Alcaldía sabía que echar para adelante su proyecto de ciudad en gran medida descansaba en que hubiese entusiasmo entre su equipo de trabajo, una ilusión que tenía que partir de ella misma. Ciertamente, había que cuidar al equipo. Pero ello tenía una contracara: *Mis tropas tenían que marchar derechitas.* En una ocasión se puso en acción un programa de motivación. ¿Su título?: *Apretando el Paso.* Con sus asesores y jefes de departamento, con la Asamblea Municipal (que en su alcaldía jugó un papel muy activo), se entabló una relación productiva y de respeto a los talentos pero con mucho sentido de propósito común. Muchos de ellos hablan de una mística de grupo; otros, de la *escuela que se generó en la Alcaldía.* Calderón los ve como un grupo idealista, *con empuje de juventud* (aún los que no eran tan jóvenes), capaces de *horarios infinitos.* Algo de lo que se siente orgullosa es de los talentos de su equipo, muchos de ellos con gran *standing* académico y que ansiaban y eventualmente lograron ver las teorías que defendían convertidas en acciones y resultados concretos.

Es momento de pasar balance. Se siente orgullosa de esos cuatro años por muchas razones que, a medida que las enumera, parecen converger en unos temas, de ésos que permiten atisbar el panorama amplio. Está el tema de la apertura, de la transparencia y de la accesibilidad en los asuntos municipales que asegura logró aprendiendo a escuchar a los grupos y a los ciudadanos de a pie. Nos dice que un alcalde exitoso tiene que estar y sentirse cercano.

El valor de la cercanía se evidencia en la iniciativa de las Comunidades Especiales que se convierte en una especie de estandarte de su gestión y que luego amplía su ámbito cuando Calderón accede a la gobernación. Le preguntamos por el objeto del proyecto: esos olvidados bolsillos de pobreza de perfil más tradicional, a menudo rodeados por comunidades más afluentes en pleno espacio urbano. Habla entonces de cómo intentó modernizar el enfoque de intervención con estas comunidades. Ya no era momento de gestionar ayudas con un papelito del alcalde de turno. Se trataba de proveer infraestructura y de dotar de servicios a los residentes, pero conservando la solidaridad y el tejido comunitario que eran a todas luces su gran capital. El tema le sigue conmoviendo y sus relaciones con muchos residentes y líderes de las comunidades persiste hasta hoy día, como continúa también su relación con el *Proyecto de la Península de Cantera* al cual se dedicó de lleno, ya como ciudadana privada, una vez dejó la administración de Hernández Colón.

Otro de los temas clave es el de la calidad en los servicios. Calderón plantea que se alcanzaron cotas importantes de efectividad administrativa cuando se agilizaron y profesionalizaron procesos. Esto se manifiesta tanto en asuntos cotidianos como el recogido de la basura y el pago de patentes como en la atención médica en los centros de tratamiento y diagnóstico y la intervención con la violencia doméstica y los deambulantes. Quizás lo que más consumió energías y atención fueron los servicios de salud.

Manejar el asunto de la salud en San Juan fue complicado y no sólo por la necesidad de poner al día las instalaciones y los inadecuados protocolos de servicio. No hay que olvidar que el gobierno central se encontraba inmerso en la implantación de un plan de reforma que esencialmente desmantelaba el sistema público para instalar un esquema de proveedores privados de servicios con la intermediación muy lucrativa –por cierto– de las aseguradoras. El plan contencioso con la administración de Calderón fue mordaz. Había diferencias filosóficas sobre cómo manejar los servicios de salud y divergencias sobre el costo de la tarjeta para el gobierno de San Juan. Había sobre todo intencionalidades políticas que todo lo enmarañan. La alcaldesa asegura que la Reforma terminó por convertirse en una ideología. Mientras ella estuvo en el poder en San Juan no hubo tarjeta e insiste en los altos niveles de satisfacción ciudadana con las Metroclínicas.

A dos cuatrienios de haber terminado su incumbencia las preguntas giran en torno a si las modificaciones urbanas importantes lograron superar la coyuntura temporal, si enraizaron en la cotidianidad de los sanjuaneros, si conforman un capital material, social y simbólico sobre el cual se montan los crecimientos de la ciudad. O si, por el contrario, se ha impuesto la lógica de la tábula rasa, aquélla que se refocila en el desmantelamiento y la descalificación y que da paso, como en tantas otras instancias, a una desmemoria sobre la historia de la ciudad, esta vez, del San Juan que daba la bienvenida al nuevo milenio.

Piensa a menudo sobre iniciativas fallidas, mal manejadas o que no lograron trascender sus primeras etapas. Cree, por ejemplo, que su decisión de decretar una moratoria de construcción en la zona sur del municipio no debió ser tan tajante a pesar de que sus asesores de urbanismo fundamentaron con pulcritud esa recomendación. Sobre las comunidades especiales, siente que no se logró movilizar a las comunidades para que asumieran un mayor nivel de auto-gestión, aunque conocedores de estos temas cuestionan si es posible que pueda lograrse programáticamente. No son pocas las ocasiones en que se plantea si el tiempo la traicionó; si cuatro años de gestión municipal eran insuficientes para que San Juan pasara de la novedad y del deseo a interiorizar las nuevas maneras de ser y hacer en la ciudad.

De una manera u otra, todo desemboca en la ciudad. El tema urbano encierra muchas de sus grandes satisfacciones. Nos invita a pensar en cuántos espacios públicos ganó San Juan en esos años de fin de siglo; en el arte que se integró a la ciudad desde los *Aguacates* de Annex Burgos a *La Paloma* de Imel Sierra; en la manera de viabilizar toda obra pública –hasta la más ordinaria– desde un enfoque urbanístico. La siembra masiva y ordenada de miles de árboles en los principales corredores. Sigue validando los códigos de orden público a pesar de las críticas de que coartan derechos y son tecnologías sociales que descansan en la domesticación, no en la convivencia. Frente a un gobierno central que ignoraba la ciudad a favor de desarrollos faraónicos, Calderón se ufana de haber recuperado a San Juan a base de intervenciones discretas pero decisivas y de calidad estética innegable. Tanto los testimonios de colaboradores como los documentos parecen confirmar que las metas que se propuso como plataforma de acción en la ciudad fueron atendidas.

San Juan, 2 de marzo de 2007

EQUIPO DE TRABAJO 1997-2001

MUNICIPIO DE

San Juan

Alcaldesa: Sila María Calderón
Vice Alcalde: Ángel Blanco Bottey
Coordinadora de Programas de Gobierno: Melba Acosta Febo

Miembros de la Asamblea Municipal:

Carlos J. López Feliciano,
Presidente (1997-1999)
Ramón Cantero Frau,
Presidente (1999-2001)

Milagros Acevedo Vega
Rosa N. Bell Bayrón
Ruben D. Berríos Resenquist
Edlin Buitrago Huertas
María Burgos Figueroa
Myrna Casas
Víctor Colón de Jesús
Miguel A. Domenech Vilá
Bethzaida Falcón Andino
Eduardo Fernández González
Gilberto Lorente
Raúl Marcial Rojas
Edward Underwood
María Isabel Van Rhyn-Pillich
Jenny M. de Walters

Asesores y Ayudantes:

Cecille Blondet, Asuntos de Salud y
Bienestar Social/Asuntos Públicos
Rosibel Carrasquillo,
Programación y Calendario
Allan Charlotten,
Asuntos de Seguridad
José Cestero,
Asuntos Financieros y Económicos
Sara H. Cortés,
Asuntos Asamblea Municipal
Carlos Dalmau,
Asuntos de Salud y Bienestar Social
Belén Fernández, Gerencia Pública
Karolee García,
Asuntos Financieros y Económicos
Ramón Kury Latorre,
Asuntos de Salud y Bienestar Social
Lourdes Matos,
Programación y Calendario
Roberto Prats Palerm,
Asuntos Federales,
Seguridad y Asuntos Públicos
Víctor Rivera Hernández,
Asuntos Laborales
Carlos Sánchez Lacosta, Asesor Legal
Antonio Sosa Pascual, Asuntos Federales
William Vázquez,
Gerencia Pública
Juan Vaquer Castrodad, Urbanismo,
Obras Públicas y Vivienda / Discursos

Departamentos Municipales:

Ada Burgos Archilla, Presupuesto
Rafael Calderón,
Obras Públicas
Jorge L. Collazo,
Seguridad Pública y Policía Municipal
Yolanda Cordero, Recursos Humanos
José Cruz Medina, Obras Públicas
Ileana Echegoyen,
Vivienda/Desarrollo Económico
Rafael Fernández,
Presupuesto
Antonio Fiol, Planificación y Urbanismo
María del Carmen Fuentes, "Head Start"
Orlando González, Auditoría Externa
Leonor Hamilton,
Oficina de Comunidades Especiales
Noelia Herencia, Vivienda
Ramón Ibáñez,
Oficina de Comunidades Especiales
Carmen Edda Lugo, Administración
Glorín Martí, Bienestar Social y Familia
Ibrahím Pérez, Salud
Carlos Ramírez,
Oficina de Comunidades Especiales
Jorge Rivera, Planificación y Urbanismo
Eduardo Rivero Albino,
Desarrollo Económico y Turismo
Juan José Rodríguez, Finanzas
Jorge "Georgie" Rosario,
Recreación y Deportes
Michelle Sugden,
Oficina de Comunidades Especiales
Eduardo Vergara,
Oficina de Asuntos de la Juventud
Paquita Vivó, Cultura
Yolanda Zayas, Bienestar Social y Familia

Oficina de la Alcaldesa:

Pedro J. "Piero" Martínez
Ayudante Especial
Grisell Pagán Roche,
Ayudante Especial
David Rivé Power,
Ayudante Ejecutivo

Gracias

A estos extraordinarios trabajadores de su patria por su desprendimiento y su enorme generosidad de espíritu...

Candidatos a la Asamblea Municipal de San Juan

Seguridad Pública

Ledo. Carlos J. López Feliciano
MANSIONES DE ROMANI

Residenciales

Victor Colón de Jesús
LAS GLADIOLAS

Salud

Dr. Raúl Marcial Rojas
SANTA MARIA

Salud

Dra. Edlin Buitrago
HATO REY

Finanzas

Ramón Cantero Frau
TERRAZA DEL PARQUE

Trabajo Comunitario

Bethzaida Falcón Andino
LAS CURIAS

Urbanismo

Arq. Edward Underwood Ríos
PUNTA LAS MARIAS

Trabajo Social

Jennie Walters
ROOSEVELT

Cascos Urbanos

Eduardo Fernández
VIEJO SAN JUAN

Juventud

Ing. María Burgos
LLORENS TORRES

Turismo

Miguel A. Domenech
SAN IGNACIO

Arte y Cultura

Dra. Myrna Casas
OCEAN PARK

Urbanizaciones

Gilberto Lorente Olivella
SAN GERARDO

Legislación

Lcda. Rosa Bell Bayrón
VILLA PRADES

Una Asamblea de Trabajo Para una Alcaldía que Funcione.

The San Juan Star, p. 7. viernes 15 de septiembre de 1995

NOTAS

notas del texto

1 La figura de San Juan Bautista, patrono de la Isla y de su primer asentamiento urbano, se asocia al elemento del agua por haber sido el que bautizó a Jesucristo. Véase a Carlos Gil Ayala, "Salcedo y la metáfora del agua", *Postdata*, Vol.2, 5, 1992.

2 Caparra es el sitio arqueológico de una ciudad de Extremadura en España. Aunque su asentamiento es anterior, en el año 74 DC bajo el emperador Vespaciano, obtuvo el rango de municipio romano. La ciudad adquirió renombre como parte del Camino de Plata que discurre entre lo que hoy es Galicia y Andalucía.

3 Término usado en las ciencias sociales para denominar el área que abastece a una ciudad y a la que la ciudad le dispensa servicios.

4 Así se le llama al período a comienzos de la década de 1920 en el que los precios del azúcar alcanzan cotas tan altas que permiten grandes inversiones públicas y privadas tanto en Cuba como en Puerto Rico, especialmente, en el ramo de la construcción.

5 Movimiento urbanístico, nacido en Estados Unidos a finales del siglo 19, caracterizado por grandes obras cívicas destinadas a crear sentido de orden y orgullo cívico.

6 Véase Jordi Borja, *La Ciudad Conquistada*, Madrid: Alianza Editorial, 2003.

7 Joel Garreau, *Edge City: Life on the New Frontier*, New York: Doubleday, 1991.

8 Este movimiento es generado por un grupo de urbanistas norteamericanos durante la década de 1990. Se identifica con la restauración de las ciudades y los centros urbanos existentes dentro de regiones metropolitanas coherentes, la reconfiguración de barrios periféricos de crecimiento descontrolado a comunidades de verdaderos vecindarios, comunas diversas, la preservación de los entornos naturales, y la conservación de nuestro legado arquitectónico. En el capítulo 3 se elabora este modelo en los planes de urbanismo de San Juan.

9 En 1970, la población de San Juan era de 463,242; en 1980, de 434,849. Experimentó un aumento en 1990 cuando alcanzó la cifra de 467,745 para descender nuevamente en el 2000 a 434,374.

10 Entrevista al Lcdo. Irving Faccio, 16 de mayo de 2007.

11 Archivo Fundación Sila M. Calderón. *Haciendo Ciudad, Sembrando Futuro. Informe de Finanzas y Actividades Administrativas*. Año Fiscal 1996-1997.

12 La Ley 81 del 30 de agosto de 1991 se aprueba durante la gobernación de Rafael Hernández Colón. En su Exposición de Motivos se declara que: "Ha llegado la hora de otorgarle a los municipios un mayor grado de autonomía fiscal y de gobierno propio para que puedan atender cabalmente sus responsabilidades".

13 *The San Juan Star*, 3 noviembre 1996.

14 Entrevista a Ramón Cantero Frau, 8 de abril de 2008.

15 Ivonne Acosta Lespier, *Una historia olvidada: un siglo en la Asamblea Municipal de San Juan (1898-1998)*, Asamblea Municipal de San Juan, 2000.

16 Entrevista con el Lcdo. Carlos López Feliciano, 21 de mayo de 2007.

17 *El Nuevo Día*, 16 de marzo de 1997.

18 Archivo Fundación Sila M. Calderón. *Ponencia de la Alcaldesa de San Juan sobre la Resolución Conjunta del Senado Núm. 348 Senado de Puerto Rico*, 3 de junio de 1998; y *Declaración de la Alcaldesa de San Juan, Sila Calderón, relacionada con la moratoria*

parcial en los barrios Caimito, Cupey, Quebrada Arenas y Tortugo, 4 de agosto de 1999.

19 Archivo Fundación Sila M. Calderón. Irving Faccio, *Municipio de San Juan, Plan para maximizar los ingresos*, 1997.

20 Entrevista al Lcdo. Irving Faccio, 16 de mayo de 2007.

21 Archivo Fundación Sila M. Calderón. *Mensaje de la Alcaldesa de San Juan, Hon. Sila M. Calderón sobre las finanzas y actividades del Municipio de San Juan*, 14 de marzo de 1997.

22 El Nuevo Día, 16 de marzo de 1997.

23 Archivo Fundación Sila M. Calderón. *Haciendo Ciudad, Sembrando Futuro. Informe de Finanzas y Actividades Administrativas.* Año Fiscal 1996-1997.

24 *El Nuevo Día*, 29 de mayo de 1997.

25 Entrevista al Lcdo. Roberto Prats, 23 de marzo de 2007.

26 Un año después la Alcaldesa daba cuenta del proceso de las obras de canalización de la Quebrada Tortugo. Véase Archivo Fundación Sila M. Calderón. *Mensaje de la Alcaldesa de San Juan, Hon. Sila M. Calderón en ocasión de la inspección del Proyecto de Canalización de la Quebrada Tortugo*, 9 de septiembre de 1999.

27 Archivo Fundación Sila M. Calderón. *San Juan se Levanta. Informe de Finanzas y Actividades Administrativas.* Año Fiscal 1997-1998.

28 Entrevista a Sila M. Calderón, 2 de marzo de 2007.

29 Archivo Fundación Sila M. Calderón. *Mensaje de la Alcaldesa de San Juan, Hon. Sila M. Calderón ante la Asamblea Municipal de San Juan para presentar su Plan de Trabajo y Presupuesto General para el Año Fiscal 2000-2001.*

30 Archivo Fundación Sila M. Calderón. *San Juan, Ciudad de Primera. Proyecto de Acción Municipal 1997-2000.*

31 Entrevista a Juan Vaquer, 31 de enero de 2007. Se trata de un grupo de jóvenes que en la década de 1960 impulsaron reformas al interior del PPD.

32 Entrevista a la Lcda. Melba Acosta, 27 de febrero de 2007.

33 Entrevista al Lcdo. Víctor Rivera Hernández, 21 de febrero de 2007.

34 Entrevista a Juan Vaquer, 31 de enero de 2007.

35 Entrevista a Ángel Blanco Botey, 3 de abril de 2008.

36 Entrevista al Lcdo. Roberto Prats, 23 de marzo de 2007.

37 Ver texto íntegro en Congress for the New Urbanism, *Charter of New Urbanism*, New York: McGraw-Hill, 1999.

38 Jordi Borja y Manuel Castells. *Local y global. La gestión de las ciudades en la era de la información*, Madrid: Taurus, 1998.

39 Ignasi de Solá-Morales y Xavier Costa (editores), *Metrópolis*, Barcelona: Gustavo Gilli, 2005.

40 La revitalización de la Península de Cantera queda amparada por la Ley Núm.20 del 10 de julio de 1992 que crea la Compañía para el Desarrollo Integral de la Península de Cantera.

41 Se trata del concepto de ordenamiento territorial. Véase a Juli Esteban I Noguera, *Elementos de ordenación urbana*, Barcelona: La Gaya Ciencia, 1981.

42 Entrevista a la Arquitecta Ilia Sánchez Arana, 21 de febrero de 2007.

43 Andres Mignucci Giannoni (1988) “Reclaiming Ballaja”, *Places:* Vol. 5: No. 2. Se puede acceder en línea en http://repositories.cdlib.org/ced/places/vol5/iss2/Giannoni.

44 Javier Bonnin Orozco, *Informe de Transición del Departamento de Urbanismo*, San Juan, enero 2001.

45 Entrevista con el Arquitecto Javier Bonnin Orozco, 26 de enero de 2007.

46 Se trata de tres estructuras localizadas en la avenida Ashford en el sector de El Condado: el antiguo Hotel Condado-Vanderbilt, construido a comienzos del siglo 20; el Hotel La Concha, construido en los años 1960 con diseño de Toro y Ferrer y el precozmente envejecido Centro de Convenciones, construido en los 1970.

47 Centro de Investigación Carimar, *Circa 2000*, San Juan: Comisión San Juan 2000, 2000.

48 Un ejemplo es la Orden Ejecutiva #104, Serie 1996-10-997 *Para adoptar el Reglamento de Incentivos Económicos para Zonas Especiales de Desarrollo y Rehabilitación de San Juan...*, 30 de abril de 1997.

49 Archivo Fundación Sila M. Calderón. *La obra del Municipio de San Juan*. San Juan: Alcaldía Municipal, 2000.

50 Entrevista a Eduardo Rivero, 5 de junio de 2007.

51 Entrevista a la arquitecta Ilia Sánchez Arana, 21 de febrero de 2007.

52 Entrevista a la arquitecta Ilia Sánchez Arana, 21 de febrero de 2007.

53 Para examinar el catálogo de obras de la firma Ricardo Bofill, Taller de Arquitectura, entrar a la página electrónica: http://www.bofill.com.

54 Para conocer este referente de planificación urbana estratégica ver Bilbao Metropli-30, *Bilbao as a Global City*, 2001.

55 El fenómeno se analiza desde varias perspectivas en Enrique Vivoni Farage (editor), *San Juan, siempre nuevo. Arquitectura y modernización en el siglo 20*, San Juan: Comisión San Juan 2000, 2000.

56 El concepto remite al urbanista español del siglo 19 Arturo Soria. Con el innovador proyecto de ciudad lineal, Soria quería resolver los problemas de higiene, hacinamiento y transporte que atenazaban a las ciudades de la época. Consistía en el diseño de una ciudad articulada a ambos lados de una ancha vía (500 metros) con ferrocarril, de longitud en principio no limitada, lo que posibilitaba su crecimiento. De esta manera el tren pasaba a ser un elemento estructurador del territorio. En la calle central se concentrarían los servicios públicos para los ciudadanos y las casas de los habitantes.

57 Entrevista con Sila M. Calderón, 2 de marzo de 2007.

58 Archivo Fundación Sila M. Calderón. *La Obra del Municipio de San Juan*. San Juan: Alcaldía Municipal, 2000.

59 Archivo Fundación Sila M. Calderón. *La Obra del Municipio de San Juan*. San Juan: Alcaldía Municipal, 2000.

60 Nataniel Fúster Félix, "La recuperación del patrimonio del Movimiento Moderno, La Plaza del Mercado de Río Piedras" en Enrique Vivoni Farage (editor), *San Juan, siempre nuevo. Arquitectura y modernización en el siglo 20*, San Juan: Comisión San Juan 2000, 2000.

61 Archivo Fundación Sila M. Calderón. *Mensaje de la Alcaldesa de San Juan, Hon. Sila M. Calderón en ocasión de la entrega de apartamentos Pesante y University Tower en Río Piedras*, 28 de octubre de 1999.

62 Archivo Fundación Sila M. Calderón. *La obra del Municipio de San Juan*. San Juan: Alcaldía Municipal, 2000.

63 Algunos de estos argumentos son tratados en el *Mensaje de la Alcaldesa de San Juan, Hon. Sila M. Calderón en ocasión de la entrega de viviendas del proyecto Dos Pinos Plaza*, 23 de marzo de 2000.

64 Aníbal Sepúlveda Rivera, *Puerto Rico Urbano. Atlas Histórico de la Ciudad Puertorriqueña*, San Juan: Carimar/DTOP, 2004.

65 Archivo Fundación Sila M. Calderón. Municipio de San Juan, *Avance del Plan de Ordenación Territorial*, San Juan, 1999.

66 Archivo Fundación Sila M. Calderón. Municipio de San Juan, *Avance del Plan de Ordenación Territorial*, San Juan, 1999.

67 Javier Bonnin Orozco, *Informe de Transición del Departamento de Urbanismo*, San Juan, enero 2001.

68 Aníbal Sepúlveda Rivera, "Viejos cañaverales, casas nuevas: la ciudad del progreso" en Fernando Picó (editor), *Luis Muños Marín. Perfiles de su Gobernación, 1948-1964*, San Juan: Fundación Luis Muñoz Marín, 2003.

69 Archivo Fundación Sila M. Calderón. Municipio de San Juan, *Avance del Plan de Ordenación Territorial*, San Juan, 1999.

70 Hay una bibliografía extensa sobre el tema. Véase Javier Maderuelo, (editor), *Arte público: naturaleza y ciudad*, Madrid: Fundación César Manrique, 1999.

71 Aníbal Sepúlveda Rivera, "Desarrollo urbano del Paseo la Princesa y Jardines en la Puntilla", *Plástica*, Núm. 15, Año 8, Vol. 2, San Juan, septiembre 1986.

72 Alejandro Tapia y Rivera, *Mis memorias*, Editorial San Juan, 1973.

73 Malena Rodríguez Castro, "Asedios centenarios: La hispanofilia en la cultura puertorriqueña", en Enrique Vivoni Farage y Silvia Álvarez Curbelo (editores), *Hispanofilia. Arquitectura y vida en Puerto Rico 1900-1950*, San Juan: AACUPR/Editorial de la Universidad de Puerto Rico, 1998.

74 María Luisa Moreno, *Historia de la arquitectura de la Universidad de Puerto Rico*, San Juan: Editorial de la Universidad de Puerto Rico, 2000.

75 Laura Daen (comp.) *Lindsay Daen: The man and the sculpture*, San Juan: Editorial de la Universidad de Puerto Rico, 2006.

76 Arquitecto Mariano Coronas, *Plan de Reforma Integral de la Zona Histórica del Viejo San Juan: Barrio Ballajá*, San Juan: Oficina Estatal de Preservación Histórica, 1990.

77 Entrevista al Arquitecto Miguel Rodríguez Casellas, 2 de febrero de 2007.

78 Archivo Fundación Sila M. Calderón. Municipio de San Juan, *Convocatoria Abierta para el proyecto de Escultura Urbana del Municipio de San Juan*, 5 de abril de 1998.

79 Antonio Díaz Royo, *Antonio Martorell: El proceso de la creación*, San Juan: Editorial de la Universidad de Puerto Rico, 2007.

80 Marilyn Vicéns, "Delfines en la Ashford", *El Nuevo Día*, 12 de marzo de 2000.

81 *El Nuevo Día*, 11 de abril de 1999.

82 Israel Rodríguez, "Sila inaugura Plaza de Santurce", *El Nuevo Día*, 16 de septiembre de 2000.

83 Nataniel Fúster, "La recuperación del patrimonio del movimiento moderno: La Plaza del Mercado de Río Piedras", en Enrique Vivoni Farage (editor), *San Juan, siempre nuevo. Arquitectura y modernización en el siglo 20*, San Juan: Comisión San Juan 2000, 2000.

84 Entrevista al Arquitecto Miguel Rodríguez Casellas, 2 de febrero de 2007.

85 Véase el libro de Héctor Sepúlveda (coord.) *Bajo asedio: comunicación y exclusión en los residenciales públicos de San Juan*, San Juan, Puerto Rico: Editorial Talcual/CiCom, 2002.

86 Toni Puig, *La comunicación municipal cómplice con los ciudadanos*, Buenos Aires: Paidós, 2003.

87 Este tema es manejado por varios autores en la antología editada por Jordi Borja, *La ciudad conquistada*, Madrid: Alianza Editorial, 2003.

88 Zygmunt Bauman, *La globalización. Consecuencias humanas*, Buenos Aires: Paidós, 1999.

89 Un ejemplo de este tipo de legislación es la *American with Disabilities Act* (ADA por sus siglas en inglés) que obliga a determinados de diseño y construcción para garantizar la accesibilidad a los minusválidos.

90 Toni Puig, *La comunicación municipal cómplice con los ciudadanos*, Buenos Aires: Paidós, 2003.

91 Javier Bonnin Orozco, *Informe de Transición del Departamento de Urbanismo*, San Juan, enero 2001.

92 José Javier Pérez, "Montehiedra se une al reclamo de Caimito", El Nuevo Día, 28 de septiembre de 2000.

93 Archivo Fundación Sila M. Calderón. Municipio de San Juan, *Presupuesto General Año Fiscal 1999-2000*, Anejo IA-01-02 e IA-01-06.

94 Archivo Fundación Sila M. Calderón. Municipio de San Juan, *Informe de Finanzas y Actividades Administrativas*, Año Fiscal 1998-1999.

95 Entrevista con Juan Vaquer, 31 de enero de 2007.

96 Entrevista con Yolanda Zayas, 11 de julio de 2007.

97 Archivo Fundación Sila M. Calderón. Municipio de San Juan, *Informe de Finanzas y Actividades Administrativas*, Año Fiscal 1998-1999.

98 Archivo Fundación Sila M. Calderón. Municipio de San Juan, *Informe de Finanzas y Actividades Administrativas*, Año Fiscal 1996-1997. En los subsiguientes informes anuales se reitera el compromiso.

99 Entrevista a Carmen Villanueva. 26 de abril de 2005.

100 Para una sencilla biografía de la alcaldesa de San Juan de 1946 al 1968 véase Magali García Ramis, *Doña Felisa Rincón de Gautier*, New Jersey: Pearson, 1995.

101 El censo del 2000 enumera un total de 75,222 personas mayores de 62 años para el Municipio de San Juan. Esto equivale al 17.3 % de la población municipal.

102 Archivo Fundación Sila M. Calderón. Municipio de San Juan, *Informe del Departamento de Recreación y Deportes del Municipio de San Juan*, 2001.

103 Entrevista a Jorge L. (Georgie) Rosario, 4 de junio de 2007.

104 Archivo Fundación Sila M. Calderón. Municipio de San Juan, *San Juan se Levanta. Informe de Finanzas y Actividades Administrativas Año Fiscal 1997-1998.*

105 Archivo Fundación Sila M. Calderón. Municipio de San Juan, *Mensaje de la Alcaldesa de San Juan, Hon. Sila M. Calderón sobre las Finanzas y Actividades Administrativas del Municipio de San Juan durante el Año Fiscal 1997-1998.*

106 Entrevista con Yolanda Zayas, 11 de julio de 2007.

107 Archivo Fundación Sila M. Calderón. Municipio de San Juan, *San Juan se Levanta. Informe de Finanzas y Actividades Administrativas Año Fiscal 1997-1998.*

108 Entrevista con Yolanda Zayas, 11 de julio de 2007.

109 Archivo Fundación Sila M. Calderón. Municipio de San Juan, Archivo Fundación Sila M. Calderón. Municipio de San Juan, *Presupuesto General 2000-2001.*

110 Archivo Fundación Sila M. Calderón. Municipio de San Juan, *Mensaje de la Alcaldesa de San Juan, Hon. Sila M. Calderón ante la Asamblea Municipal de San Juan para presentar su Plan de Trabajo y Presupuesto General para el Año Fiscal 2000-2001.*

111 Archivo Fundación Sila M. Calderón. Municipio de San Juan, *Informe de Presupuesto del Municipio de San Juan para el Año Fiscal 1999-2000.*

112 Archivo Fundación Sila M. Calderón. Municipio de San Juan, *Informe de Finanzas y Actividades Administrativas,* Año Fiscal 1998-1999.

113 Archivo Fundación Sila M. Calderón. Municipio de San Juan, *Mensaje de la Alcaldesa de San Juan, Hon. Sila M. Calderón ante la Asamblea Municipal de San Juan para presentar su Plan de Trabajo y Presupuesto General para el Año Fiscal 2000-2001.*

114 Archivo Fundación Sila M. Calderón. *Conferencia de la Alcaldesa de San Juan, Hon. Sila M. Calderón ante la Asociación Médica de Puerto Rico,* 31 de mayo de 2000.

115 Entrevista a Jorge L. (Georgie) Rosario, 4 de junio de 2007.

116 Archivo Fundación Sila M. Calderón. Municipio de San Juan, *Informe del Departamento de Recreación y Deportes del Municipio de San Juan,* 2001.

117 Archivo Fundación Sila M. Calderón. Municipio de San Juan, *Informe del Departamento de Recreación y Deportes del Municipio de San Juan,* 2001.

118 Entrevista a Jorge L. (Georgie) Rosario, 4 de junio de 2007.

119 Carmen Dolores Hernández, *Ricardo Alegría: Una Vida,* San Juan: Fundación Puertorriqueña de las Humanidades, 2002.

120 Archivo Fundación Sila M. Calderón. Municipio de San Juan, *La obra del Municipio de San Juan,* 2000.

121 Archivo Fundación Sila M. Calderón. Municipio de San Juan, *Mensaje de la Alcaldesa de San Juan, Hon. Sila M. Calderón sobre las Finanzas y Actividades Administrativas del Municipio de San Juan durante el Año Fiscal 1998-1999.*

122 Archivo Fundación Sila M. Calderón. Municipio de San Juan, *Mensaje de la Alcaldesa de San Juan, Hon. Sila M. Calderón sobre las Finanzas y Actividades Administrativas del Municipio de San Juan durante el Año Fiscal 1998-1999.*

123 Archivo Fundación Sila M. Calderón. *San Juan, Ciudad de primera. Proyecto de Acción Municipal, 1997-2000.* San Juan, 1997.

124 Para un análisis del tema de la pobreza y su vinculación con el modelo de desarrollo económico ver a Susan M. Collins, Barry P. Bosworth y Miguel A. Soto-Class, eds., *Restoring Growth in Puerto Rico Overview and Policy Options*, Washington D.C.: Brookings Institution Press and Center For The New Economy 2006.

125 Ver Aníbal Sepúlveda, *San Juan, Historia Ilustrada de su Desarrollo Urbano, 1508-1898*, San Juan: Carimar, 1989.

126 Ver Aníbal Sepúlveda Rivera y Silvia Álvarez Curbelo, "De zona 'polémica' a barrio: Puerta de Tierra y el nacimiento de un espacio urbano en San Juan", en *San Juan: la ciudad que rebasó sus murallas*, San Juan: National Park Service/Academia Puertorriqueña de la Historia, 2005.

127 Aixa Merino Falú, "El gremio de lavanderas de Puerta de Tierra" en Antonio Gaztambide Géigel y Silvia Álvarez Curbelo (editores), *Historias vivas: Historiografía puertorriqueña contemporánea*, San Juan: Asociación Puertorriqueña de Historiadores/ Postdata, 1996.

128 Ver Edwin Quiles Rodríguez, *San Juan tras la fachada*, San Juan: Instituto de Cultura Puertorriqueña, 2003.

129 Luz M. Rodríguez, "¡Atajar el arrabal! Arquitectura y cambios sociales en la vivienda pública de San Juan" en Enrique Vivoni Farage (editor), *San Juan siempre nuevo: arquitectura modernización en el siglo XX*, San Juan: Editorial Universidad de Puerto Rico, 2000.

130 Silvia Álvarez Curbelo, "El diseño del progreso: Henry Klumb y la modernización de Puerto Rico (1944-1948)" en Enrique Vivoni Farage, editor, *Klumb. Una arquitectura con impronta social*. San Juan: AACUPR / Editorial de la Universidad de Puerto Rico, 2007.

131 Para un análisis crítico de este proceso ver el clásico Jane Jacobs, *Muerte y vida de las grandes ciudades* Madrid: Ediciones Península, 1967.

132 Carrasquillo-Ramírez, Alfredo, *Los enemigos del orden: el criminal como significante flotante y la legitimidad del poder político en Puerto Rico, 1992-1994*, San Juan: Centro de Estudios Avanzados de Puerto Rico y el Caribe, 2004.

133 Archivo Fundación Sila M. Calderón. *San Juan, Ciudad de primera. Proyecto de Acción Municipal, 1997-2000.* San Juan, 1997.

134 Archivo Fundación Sila M. Calderón. Irving Faccio, *Municipio de San Juan, Plan para maximizar los ingresos*, 1997.

135 Entrevista a Juan Vaquer, 31 de enero de 2007.

136 Archivo Fundación Sila M. Calderón. *San Juan, Ciudad de primera. Proyecto de Acción Municipal, 1997-2000.* San Juan, 1997.

137 *El Nuevo Día*, enero de 1997.

138 Archivo Fundación Sila M. Calderón. *Presupuesto General 2000-2001.* Municipio de San Juan.

139 Archivo Fundación Sila M. Calderón. *Presupuesto General de 1998-1999.* Municipio de San Juan.

140 Archivo Fundación Sila M. Calderón. *Municipio de San Juan, Informe de Finanzas y Actividades Administrativas*, Año Fiscal 1998-1999.

141 Archivo Fundación Sila M. Calderón. *Ponencia de la Alcaldesa de San Juan, Hon. Sila M. Calderón, ante el Foro "Urbi et Orbe"*, Centro Juan Carlos I de España, New York University, 3 de abril de 1998.

142 Archivo Fundación Sila M. Calderón. *San Juan, Ciudad de primera. Proyecto de Acción Municipal, 1997-2000.* San Juan, 1997.

143 Archivo Fundación Sila M. Calderón. *Ponencia de la Alcaldesa de San Juan, Hon. Sila M. Calderón, ante el Foro "Urbi et Orbe"*, Centro Juan Carlos I de España, New York University, 3 de abril de 1998.

144 Archivo Fundación Sila M. Calderón. *Ponencia de la Alcaldesa de San Juan, Hon. Sila M. Calderón, ante el Foro "Urbi et Orbe"*, Centro Juan Carlos I de España, New York University, 3 de abril de 1998.

145 Archivo Fundación Sila M. Calderón. *Conferencia de Prensa Proyecto "Avanzando", Comunidad El Gandul*, 12 de marzo de 1998.

146 Archivo Fundación Sila M. Calderón. *Mensaje de la Alcaldesa de San Juan, Hon. Sila M. Calderón en ocasión de la inauguración del Parque Pasivo Villa Clemente*, 9 de julio de 1999.

147 Archivo Fundación Sila M. Calderón. Municipio de San Juan, *San Juan se Levanta. Informe de Finanzas y Actividades Administrativas*, Año Fiscal 1997-1998.

148 Archivo Fundación Sila M. Calderón. *Mensaje de la Alcaldesa de San Juan, Hon. Sila M. Calderón en ocasión del inicio de la Conferencia "Una Ciudad para Todos", auspiciada por la Oficina de Comunidades Especiales*, 6 de octubre de 1999.

149 Archivo Fundación Sila M. Calderón. *Mensaje de la Alcaldesa de San Juan, Hon. Sila M. Calderón en la Conferencia "Una Ciudad para Todos", auspiciada por la Oficina de Comunidades Especiales*, 11 de octubre de 1999.

150 Archivo Fundación Sila M. Calderón. *Municipio de San Juan, Informe de Finanzas y Actividades Administrativas*, Año Fiscal 1998-1999.

151 Archivo Fundación Sila M. Calderón. *Mensaje de la Alcaldesa de San Juan, Hon. Sila M. Calderón en ocasión de la colocación de la primera piedra del Proyecto Pelícano*, 25 de enero de 2000.

152 Sila M. Calderón, "Un deber de conciencia", *El Nuevo Día*, 2 de octubre de 2000.

153 Archivo Fundación Sila M. Calderón. *La obra del Municipio de San Juan*. San Juan: Alcaldía Municipal, 2000.

154 Archivo Fundación Sila M. Calderón. *Mensaje de la Alcaldesa de San Juan, Hon. Sila M. Calderón en ocasión del Segundo Encuentro de Líderes Comunitarios de San Juan*, 10 de marzo de 2000.

155 Archivo Fundación Sila M. Calderón. *La obra del Municipio de San Juan*. San Juan: Alcaldía Municipal, 2000.

156 Archivo Fundación Sila M. Calderón. *Mensaje de la Alcaldesa de San Juan, Hon. Sila M. Calderón ante la Asamblea Municipal de San Juan para presentar su Plan de Trabajo y Presupuesto General para el Año Fiscal 2000-2001.*

157 Entrevista a Jorge L. (Georgie) Rosario, 4 de junio de 2007.

158 Archivo Fundación Sila M. Calderón. *La obra del Municipio de San Juan*. San Juan: Alcaldía Municipal, 2000.

159 Archivo Fundación Sila M. Calderón. *La obra del Municipio de San Juan*. San Juan: Alcaldía Municipal, 2000.

160 Entrevista a Zenaida Rivera para este libro hecha por Doralis Pérez Soto, 18 de abril de 2005.

161 Entrevista a Carmen Villanueva para este libro hecha por Doralis Pérez Soto, 26 de abril de 2005.

BIBLIOGRAFÍA

bibliografía

Acosta Lespier, Ivonne; *Una historia olvidada: un siglo en la Asamblea Municipal de San Juan (1898-1998),* San Juan: Asamblea Municipal de San Juan, 2000.

Álvarez Curbelo, Silvia; "El diseño del progreso: Henry Klumb y la modernización de Puerto Rico (1944-1948)" en Enrique Vivoni Farage, editor; *Klumb. Una arquitectura con impronta social*, San Juan: AACUPR/Editorial de la Universidad de Puerto Rico, 2007.

Bauman, Zygmunt; *La globalización. Consecuencias humanas*, Buenos Aires: Editorial Paidós, 1999.

Bilbao Metropli-30, *Bilbao as a Global City*, 2001.

Borja, Jordi; *La ciudad conquistada*, Madrid: Alianza Editorial, 2003.

Borja, Jordi y Manuel Castells; *Local y global. La gestión de las ciudades en la era de la información*, Madrid: Taurus, 1998.

Borja, Jordi y Zaida Muxi; *El espacio público: Ciudad y ciudadanía*, Barcelona: Editorial Electa, 2003.

Carrasquillo-Ramírez, Alfredo; *Los enemigos del orden: el criminal como significante flotante y la legitimidad del poder político en Puerto Rico, 1992-1994*, San Juan: Centro de Estudios Avanzados de Puerto Rico y el Caribe, 2004.

Centro de Investigación Carimar; *San Juan, Circa 2000*, San Juan: Comisión San Juan 2000, 2000.

Cohen, Blair A., et al; *Preparing for the Urban Future. Global pressures and Local Forces*, Baltimore: Woodrow Wilson Center Press, 1996.

Collins, Susan M., Barry P. Bosworth y Miguel A. Soto-Class, editores; *Restoring Growth in Puerto Rico Overview and Policy Options*, Washington D.C.: Brookings Institution Press and Center For The New Economy, 2006.

Congress for the New Urbanism; *Charter of New Urbanism*, New York: McGraw-Hill, 1999.

Daen, Laura (comp.); *Lindsay Daen: The man and the sculpture*, San Juan: Editorial de la Universidad de Puerto Rico, 2006.

Díaz Royo, Antonio; *Antonio Martorell: El proceso de la creación*, San Juan: Editorial de la Universidad de Puerto Rico, 2007.

Esteban Noguera, Juli; *Elementos de ordenación urbana*, Barcelona: La Gaya Ciencia, 1981.

Esteban Noguera, Juli; *La ordenación urbanística: conceptos, herramientas y prácticas*, Barcelona: Editorial Electa, 2003.

Nataniel Fúster; "La recuperación del patrimonio del movimiento moderno: La Plaza del Mercado de Río Piedras", en Enrique Vivoni Farage, editor; *San Juan, siempre nuevo. Arquitectura y modernización en el siglo 20*, San Juan: Comisión San Juan 2000, 2000.

García Ramis, Magali; *Doña Felisa Rincón de Gautier*, New Jersey: Pearson, 1995.

Garreau, Joel; *Edge City: Life on the New Frontier*, New York: Doubleday, 1991.

Gehl, Jan y Lars Gemzoe; *Nuevos espacios urbanos*, Barcelona: Editorial Gustavo Gilli, 2002.

Gil Ayala, Carlos; "Salcedo y la metáfora del agua", *Postdata*, Vol.2, 5, 1992.

Hernández, Carmen Dolores; *Ricardo Alegría: Una Vida*, San Juan: Fundación Puertorriqueña de las Humanidades, 2002.

Jacobs, Jane; *Muerte y vida de las grandes ciudades*, Madrid: Ediciones Península, 1967.

Kotkin, Joel; *La ciudad, una historia global*, Barcelona: Editorial Random House Mondadori, 2006.

Maderuelo, Javier, editor; *Arte público: naturaleza y ciudad,* Madrid: Fundación César Manrique, 1999.

Merino Falú, Aixa; "El gremio de lavanderas de Puerta de Tierra" en Antonio Gaztambide Géigel y Silvia Álvarez Curbelo, editores; *Historias vivas: Historiografía puertorriqueña contemporánea*, San Juan: Asociación Puertorriqueña de Historiadores/Postdata, 1996.

Moreno, María Luisa; *Historia de la arquitectura de la Universidad de Puerto Rico*, San Juan: Editorial de la Universidad de Puerto Rico, 2000.

Munizaba Gil, Gustavo; *Las ciudades y su historia, Una aproximación*, Santiago: Universidad Católica de Chile, 1997.

Puig, Toni; *La comunicación municipal cómplice con los ciudadanos*, Buenos Aires: Editorial Paidós, 2003.

Quiles Rodríguez, Edwin; *San Juan tras la fachada,* San Juan: Instituto de Cultura Puertorriqueña, 2003.

Rodríguez, Luz M.; "Atajar el arrabal..." en Enrique Vivoni Farage, editor; *San Juan, siempre nuevo. Arquitectura y modernización en el siglo 20*, San Juan: Comisión San Juan 2000, 2000.

Rodríguez Castro, María Elena; "Asedios centenarios: La hispanofilia en la cultura puertorriqueña", en Enrique Vivoni Farage y Silvia Álvarez Curbelo, editores; *Hispanofilia. Arquitectura y vida en Puerto Rico 1900-1950*, San Juan: AACUPR/Editorial de la Universidad de Puerto Rico, 1998.

Sepúlveda Rivera, Aníbal; *Puerto Rico Urbano. Atlas Histórico de la Ciudad Puertorriqueña*, San Juan: Carimar/ DTOP, 2004.

Sepúlveda Rivera, Aníbal; "Viejos cañaverales, casas nuevas: la ciudad del progreso"en Fernando Picó, editor; *Luis Muñoz Marín. Perfiles de su Gobernación, 1948-1964*, San Juan: Fundación Luis Muñoz Marín, 2003.

Sepúlveda Rivera, Aníbal; *San Juan, Historia Ilustrada de su Desarrollo Urbano, 1508-1898*, San Juan: Carimar, 1989.

Sepúlveda Rivera, Aníbal y Silvia Álvarez Curbelo; "De 'zona polémica' a barrio: Puerta de Tierra y el nacimiento de un espacio urbano en San Juan", en *San Juan: la ciudad que rebasó sus murallas*, San Juan: National Park Service/ Academia Puertorriqueña de la Historia, 2005.

Sepúlveda, Héctor (coord.); *Bajo asedio: comunicación y exclusión en los residenciales públicos de San Juan*, San Juan: Editorial TalCual/CiCom, 2002.

Solá-Morales, Ignasi de y Xavier Costa, editores; *Metrópolis*, Barcelona: Editorial Gustavo Gilli, 2005.

Tapia y Rivera, Alejandro; *Mis memorias*, San Juan: Editorial San Juan, 1973.

Vivoni Farage, Enrique, editor; *San Juan, siempre nuevo. Arquitectura y modernización en el siglo 20*, San Juan: Comisión San Juan 2000, 2000.